Webで学ぶ
情報検索の演習と解説

情報サービス演習

JN076449

日外アソシエーツ

●編集担当● 木村 月子
装 丁：小林 彩子（flavour)

まえがき

　本書は、2012年12月に刊行された『CD-ROMで学ぶ情報検索の演習　新訂4版』（田中功・齋藤泰則・松山巖編著）（以下、前版）を全面改訂したものです。前版までは、演習で用いるデータベースをCD-ROMに収めて提供していました。しかし、刊行から10年が経過し、コンピュータ端末のOSのヴァージョン変更なども著しく、CD-ROMへのアクセスに支障が生じるようになってきました。そこで、今回の版からは、データベースをCD-ROMというパッケージ形態からクラウド版に切り替えて提供することにしました。

　本書が提供するクラウド版の演習用データベースには4種類があります。種類ごとの収録件数は、人物略歴情報が11,863人、雑誌記事情報が31,784件、図書内容情報が8,831点、新聞記事情報が14,353件です。いずれも現時点で最新のデータを用いています。

　本書は、大学や短期大学における図書館司書課程の必修科目「情報サービス演習」のテキストとしての使用を想定して編んでいますが、教養科目としての情報教育や初年次教育などにおいても使用可能な内容となっています。情報を主体的に探し使いこなす力を身につけることは、大学や短期大学においてこれから学ぼうとする学問に向き合う基本姿勢として重要なことの1つです。どのような学問を究めるにしても、情報検索の知識や技術をまず習得することで、その学問分野の情報の広がりを発見し、さらにその学問の魅力や奥深さをも気づかせてくれることでしょう。本書がその一助となれば幸いです。

　最後に本書の出版に際し、発行までに導きご尽力をいただいた日外アソシエーツ株式会社の青木竜馬さん、木村月子さんに心から感謝いたします。

　　2023年1月

　　　　　　　　　　　　　　編著者　野口武悟・千錫烈

目次

第1部　検索のための基礎知識

執筆担当一覧

第 1 部
    1.1.1〜1.1.6 …野口 武悟
    1.1.7〜1.2 …松山 巌
    1.3 …齋藤 泰則

第 2 部
    2.1 …千 錫烈
    2.2.1 …松山 巌
    2.2.2 …長谷川 幸代
    2.2.3 …新藤 透
    2.2.4 …水沼 友宏
    2.2.5 …千 錫烈

第1部

検索のための基礎知識

1.1 情報検索とデータベース

1.1.1 情報活用と情報リテラシー

　高度情報通信社会ともいわれるインターネットを前提とした現代社会にあって、私たちは多くの情報に取り囲まれて生活している。そして、今後も、私たちをとりまく情報は増大し続けるであろう。

　ところで、こうした現代社会にあって、どれだけの人が必要な情報を自分の力で探し、選択する能力を充分に持ち合わせているであろうか。

　いまから約40年前の1985（昭和60）年、政府の臨時教育審議会の第一次答申が、社会の変化への対応として「国際化」と並んで「情報化」に対応した人材の育成について提言した。このなかで「情報化」に関しては「社会の情報化を真に人々の生活の向上に役立てる上で、人々が主体的な選択により情報を使いこなす力を身に付けることが今後重要である」とし、各人が情報を探し使いこなす必要性を強調している。

　さらに、1998（平成10）年には、文部省の初等中等教育における情報教育の推進等に関する調査研究協力者会議が『情報化の進展に対応した教育環境の実現に向けて（最終報告)』をとりまとめ、そのなかで「課題や目的に応じて情報手段を適切に活用することを含めて、必要な情報を主体的に収集・判断・表現・処理・創造し、受け手の状況等を踏まえて発信・伝達できる能力」を「情報活用能力」と位置づけ、これを育成する教育を提案している。これ以降、初等中等教育（小学校～高等学校教育）においては情報活用能力とそれを育成する情報教育が重視されている。

情報活用能力の育成は、高等教育（大学教育）においても重要なことはいうまでもない。情報活用能力の育成は残念ながら十分とは言えない状況だからである。なお、高等教育においては、情報活用能力のことを「情報リテラシー」と呼ぶことが一般的である。

　本書のテーマである「情報検索」は、この情報リテラシーに包含されるものであって、生涯学習時代を迎えた今日において主体的に情報と向き合い活用するためにも不可欠な技術といえよう。

図1　情報活用と情報リテラシー

1.1.2　情報検索とは

　情報検索という言葉は、今日では日常的に使われるようになった。国語辞書の『広辞苑』（岩波書店）には「情報検索」の項目が1998（平成10）年刊行の第5版に初めて出現した。そこでは「（information retrieval）大量のデータあるいは分析結果を必要に応じて取り出すこと」と記載されている。また、専門事典である『図書館情報学用語辞典』（丸善出版）の第5版（2020年刊）には、「あらかじめ組織化して大量に蓄積されている情報の集合から、ある特定の情報要求を満たす情報の集合を抽出すること」とある。

　これらの定義からも分かるように、情報検索は次の2つの機能から成立する。

　①情報を分析し、探しやすいように整理（組織化）し蓄積する

②必要な情報をあらかじめ蓄積された大量の情報の中から探し出
す

情報検索にはこれらを行うための方法、手順なども含めることが
多いが、前者における蓄積される情報の量と質、また後者における
検索機能などの良否によって検索効率が左右されることになる。

情報の蓄積（Storage）＋ 情報の検索（Retrieval）

図2　情報検索の2つの機能

1.1.3　一次情報と二次情報

図書館情報資源のうち、紙媒体の図書や雑誌、新聞などを「一次
資料」、それらを見つけ出すための書誌、目録、索引などを「二次資
料」と呼ぶ。データベースに収録される情報も同じように「一次情報」
と「二次情報」とに分けることができる。

① 一次情報

一次情報は、オリジナルな内容を持つ情報のことである。またこ
れらの情報を収録している資料を一次資料という。これらの代表例
が図書、雑誌、新聞などである。
①図書

図書は雑誌に比べてページ数などの条件が比較的柔軟であるため、
量的にまとまった情報が得られる。しかし執筆から刊行までに時間
を要することが、情報の速報性からみると難点となる。したがって
情報の新しさより、むしろ長い間存続させる必要のある情報を提供
する資料としての価値がある。図書には個々の図書を識別するため
の世界共通のコードであるISBN（International Standard Book
Number：国際標準図書番号）がつけられる。このコードは13桁の

5

数字で構成されている。

②雑誌

　雑誌は情報を速く伝達できるという点で、図書よりも優れている。また学術雑誌のうち学会誌に掲載される論文の多くは、レフェリー（査読者）による論文審査（査読）システムが確立しているため、内容の妥当性や信頼性が担保されている。雑誌にも個々の雑誌を識別するための世界共通コードが用いられている。それをISSN（International Standard Serial Number：国際標準逐次刊行物番号）といい、数字8桁で構成される。このコードは、原則として雑誌の表紙の右上に記載されている。

③新聞

　新聞は社会の出来事について事実や解説を広く伝える機能がある。また新聞記事の情報は、時代の反映を見ることができることから、学術研究や考証資料においてもしばしば用いられる。情報の速報性という点では、まず新聞記事で扱われた内容がその後、週刊誌をはじめとする雑誌に掲載され、さらにその後で図書として刊行されるケースも多々あり、雑誌や図書に比べて優位に立つ。

②　二次情報

　二次情報は、一次情報を探すために作成された情報のことであり、一次情報の種類や所在を示すものである。代表的な二次情報には書誌、目録、索引などがあるが、これらの多くはデータベース化されている。図書館のOPAC（Online Public Access Catalogue）も、求める図書や雑誌などが図書館にあるか否かを知るための二次情報である。

①書誌

　書誌は多数の図書や文献の書誌事項（図書の場合は書名、著者名、出版者、出版年、ページなど）の記述を集め、一定の法則（主題別、

著者別など）に従って配列し、編成したものをいう。

②目録

　書誌の中にも目録というタイトルをつけるものが多く、書誌と混用されがちである。しかし、目録にはその資料がどこにあるかという所在の指示がなされており、この点で書誌と異なる。目録の代表例は、個々の図書館の蔵書目録やOPACなどである。

③索引

　特定の情報を探すために、その情報をあらわすキーワードや用語などを一定の順序に配列し、その情報の所在を示すものをいう。図書の巻末につけられる索引や雑誌の総索引のほか、雑誌記事索引のように多数の雑誌の記事が探せるような索引もある。

1.1.4　データベースとは

　いろいろな方法で集めた情報を利用しやすい形にするためには、情報の分析・整理が必要となる。収集した情報そのままの形では、探すため、活用するために多くの時間を要することになるからである。集めた情報を適切な方法で整理（組織化）し、効率的な活用を可能とするには、そのための仕掛け、つまりシステムを作ることが肝要となる。収集した情報のデータベース化もその典型的な一例である。

　情報のデータベース化は、大量の情報の中から目的にあった情報を簡単に取り出せる形に変換することである。たとえば、キーワードから探す、書名から探すなどができるように、情報をあらかじめ加工しておくことが必要になる。そして、これらの情報が蓄積されてデータベースになり、新たな情報としての価値を産み出すことになる。このように、データベース化は情報を高度化したものであり、その意義は計り知れないものがある。

ここでデータベースの定義について確認しておきたい。情報検索においては、あらかじめ蓄積された大量の情報（データ）をデータベースと言っている。それでは、この大量の情報とはどのような性格を持つものであろうか。それは次に示すデータベースの定義によって理解することができる。

　次の2つの定義から考えてみたい。
・「論文、数値、図形その他の情報の集合物であつて、それらの情報を電子計算機を用いて検索することができるように体系的に構成したものをいう。」（「著作権法」第2条の定義）
・「コンピュータによる加工や処理を目的として、特定の方針に基づいて組織化された情報ファイル。主な目的は情報検索である。」（『図書館情報学用語辞典（第5版）』（丸善出版、2020年）の定義）

　この2つの定義から、データベースは次のような要件をそなえているものということができる。
　①多数の情報を集め、蓄積したものであること。
　②情報は検索を前提として体系的に整理（組織化）されていること。
　③整理された情報はコンピュータ（電子計算機）で検索できること。

　以上のことから、データベースは「大量のデータを集めそれらを整理しコンピュータが処理しやすい形にしたファイル」である。つまり、活用しやすいようにコンピュータを使って情報を整理する方法の1つといえよう。

　たとえば、図書館のOPACは、多くの人に利用されているデータベースである。オンライン蔵書目録であるOPACは、図書館が持つ蔵書の目録情報を蓄積し、書名、著者名、出版者などの項目を設けコンピュータが処理しやすい形に整理（組織化）したものである。利用者はこの目録情報をコンピュータで検索することができる。つまり、すでに述べたデータベースの3つの要件を備えていることにな

る。図書館の目録情報をデータベース化したOPACが登場する前は、冊子形態やカード形態の蔵書目録を1枚1枚めくって探す方法がとられており、使い勝手も容易とは言い難かった（今でも特定のコレクションなどではこうした目録が併用されている）。いまや当たり前となったOPACだが、その登場は図書館の蔵書検索を飛躍的に使いやすく、容易にしたのである。

　日本でインターネットが普及し始めるのは1990年代後半であるが、もちろんそれ以前からデータベースは存在した。しかし、そのころのデータベース（特に二次情報データベース）の検索は、システムごとに異なる検索コマンドや検索方法が用いられ、一般の利用者にとっては利用のハードルが高かった。そのため、検索を専門とするサーチャーなどの手助けが必要とされた。インターネットが普及した現在では、多くのデータベースがインターネット上でキーワードなどの検索語を入力するだけで検索結果が得られるようになり、検索の複雑さや困難さは解消されている。

1.1.5　データベースの種類

　データベースには多種多様なものがあるが、蓄積される情報の形態によって分類すると、主に次の3つに分けられる。
　①レファレンスデータベース
　②ファクトデータベース
　③マルチメディアデータベース
　レファレンスデータベースは、文献データベースともいい、図書や雑誌記事などの書誌事項といわれる情報（図書の場合は書名、著者名、出版者、出版年など、雑誌記事の場合は論題名、著者名、雑誌名、刊行年月など）によって作成されている。つまり、特定の主題について書かれた図書や雑誌記事などを探すための情報を収録し

白楽天と吉川英治

論題	白楽天と吉川英治
著者名	杉下 元明
誌名等	日本漢文学研究 ： 二松学舎大学21世紀COEプログラム「日本漢文学研究の世界的拠点の構築」 (13) 2018.3 63～80 二松学舎大学21世紀COEプログラム
ISSN	18805914
NDL請求番号	Z71－R581
キーワード	大衆小説；日本近代文学；比較文学；誌誤行；長恨歌；大衆小説；日本近代文学；比較文学；誌誤行；長恨歌；大衆小説；日本近代文学；比較文学；誌誤行；長恨歌；タイシュウ ショウセツ；チョウゴンカ；ニホン キンダイ ブンガク；ヒカク ブンガク；ビワコウ

図3　レファレンスデータベースの例

た二次情報のデータベースということになる。このデータベースから原文を直接見ることはできないが、近年はオープンアクセス可能な雑誌記事等へのリンクを表示できるようにしたものもある。

ファクトデータベースは、ソースデータベースともいう。図書や雑誌記事、新聞記事などの原文そのものは一次情報であり、これらを収録するデータベースはファクトデータベースの1つである。辞典や事典、統計、画像、音声などを扱うデータベースも含まれる。

なお、Wikipediaも百科事典データベースといえる。Wikipediaは誰もが自由に（しかも匿名で）編集し合い記事内容を高めることができるなどのメリットがある一方で、記事の執筆者特定が困難であったり記事内容の信頼性が十分に担保されていないなどのデメリットもある。特に学術研究における活用には、慎重な検討が必須といえる。

マルチメディアデータベースは文字や数値だけでなく、映像、画像、図形、

NEWSFLASH：一斉休校なし　文科相が表明

'21. 1. 5 夕刊 1頁 写図無 （全374文字）

　萩生田光一文部科学相は5日、臨時記者会見を開き、新型コロナウイルス感染拡大による緊急事態宣言が都1県で発令されても、小中高校や大学の一斉休校を要請せず、大学入学共通テストは予定通り16日から実施すると正式に表明した。　萩生田氏は、小中高校を休校にするかどうかは設置者の判断とした上で「地域一斉の臨時休校は、当該地域の社会活動全体を止めるような場合に取るべき措置だ。健やかな学びや心身への影響の観点からは避けることが適切」と指摘。大学に関しては、対面とオンラインを適切に活用するよう求めた。共通テストは「感染対策に万全を期して実施する」と強調。大学や高校の個別入試も予定通り実施するよう促した。昨年春の緊急事態宣言に先立ち、安倍晋三前首相は2月末に全国一斉の休校を要請、長い地域では3カ月ほど休校が続き、保護者への重い負担や学習遅れが生じた。

210105128

毎日新聞

図4　ファクトデータベースの例

音声などさまざまな情報を複合的に収録しているデータベースである。地図情報システムなどがこれにあたる。この形態のデータベースは、近年増えつつある。

1.1.6　インターネットで利用できるデータベースの例

　インターネット上で利用できるデータベースは年々増加している。しかも、インターネットは世界とつながっており、日本国内のデータベースだけでなく、外国のデータベースも利用できる。ここでは、インターネット上で公開され利用できる日本のデータベースのいくつかを紹介する。

1）ジャパンサーチ（国立国会図書館）
　国内の200近いデータベースと連携を図り、多様なコンテンツを統合的に検索できる
2）国立国会図書館サーチ（国立国会図書館）
　国立国会図書館、全国の公共図書館、大学図書館、専門図書館、学術研究機関等などの資料、デジタルコンテンツを統合的に検索できる
3）CiNii Research（国立情報学研究所）
　学術文献をはじめ、国内の機関リポジトリ等の研究データ、KAKENの研究プロジェクト情報などを含めて統合的に検索できる
4）CiNii Books（国立情報学研究所）
　全国の大学図書館等が所蔵する図書、雑誌を検索できる
5）Webcat Plus（国立情報学研究所）
　現在入手可能な図書を目次、概要も含めて網羅的に検索できる。「連想検索」が特徴。
6）出版書誌データベース（Books）（日本出版インフラセンター）

出版情報のデータベースで、現在流通している紙の図書、電子書籍、定期刊行物などを検索できる

7）国文学論文目録データベース（国文学研究資料館）

　国内で発表された日本文学関係の雑誌記事、図書が検索できる

8）社会学文献情報データベース（日本社会学会）

　明治期以後の社会学関係の図書、雑誌論文が検索できる

9）Winet女性情報ポータル（国立女性教育会館女性教育情報センター）

　女性・男女共同参画に関する図書、雑誌記事、新聞記事、統計データ等が検索できる

10）DiaL社会老年学文献データベース（ダイヤ高齢社会研究財団）

　高齢社会における諸問題を扱った雑誌記事・論文が検索できる

11）身装文献データベース（国立民族学博物館）

　服装関連の雑誌記事が検索できる

12）日本古典演劇・近世文献目録データベース（園田学園女子大学近松研究所）

　古典演劇や近世文学に関する雑誌論文が検索できる

13）怪異・妖怪伝承データベース（国際日本文化研究センター）

　怪異・妖怪伝承の事例に関する図書、雑誌論文が検索できる

14）著作権データベース（著作権情報センター）

　著作権を中心とした知的財産権に関する法令や条約、文献・資料などが検索できる

15）政府刊行物横断検索（全国官報販売協同組合）

　入手可能な政府刊行物（白書、報告書等）が検索できる

16）政府統計の総合窓口（e-Stat）（独立行政法人統計センター）

　各府省が提供する人口、財政、教育、福祉などあらゆる分野の統計データが検索・閲覧できる

17）e-Gov法令検索（デジタル庁）

　　日本の法令の全文が検索・閲覧できる

18）最高裁判例集検索（最高裁判所）

　　最高裁判所の判決全文が検索できる

1.1.7　サーチエンジンを用いた検索

　今日、サーチエンジンを用いたいわゆるインターネット検索は、非常に身近なものになっている。したがって、ここでは「ネット検索とは何か」「どのように行うか」といった非常に基本的な説明は省く。また、インターネットの世界は変化が非常に早いので、すぐに変わってしまう知識よりも、むしろ、後々まで使えそうな、実際に検索を行う上で知っておきたいポイントを中心として、いくつか説明していきたい。

　なお、インターネット上の実際の情報に関する記述は、2022年10月30日現在のものである。したがって、内容が変わっていたり、URLが移動していたり、サイトがなくなっていたりする可能性がある点に注意されたい。

①　大事なこと

　ときどき、ネット検索に頼りすぎるあまり、「インターネットで探しても見つからない情報」イコール「もう探し出せない」あるいは「世の中に存在しない」と考えてしまう人がいる。これは大きな誤りである。ネット検索は基本的に「今ネット上に置いてある情報」を探すものなので、誰かがネット上に発信していなければ情報は得られない。

　たとえば、最近ニュースで話題になった事件について検索すれば、その事件を報じるメディアの記事や、SNSで発信された個人のコメントなど、多くの人がリアルタイムに発信した膨大な情報がヒットするであろう。しかし、時代を逆にさかのぼっていけば、情報発信

が今ほど日常的に気軽にできなかった時代、インターネットそのものがなかった時代（だいたい1990年より前）、さらにはコンピュータといえば基本的に計算をする機械であって文書作成などの情報処理はできなかった時代を経て、当然ながらコンピュータそのものが存在しなかった時代になっていく。したがって、事件の発生が古くなればなるほど、当然ながらそれに関する電子化された情報は減っていき、やがて存在しなくなる。そういった時代に関する情報は、あとから誰かが電子化してネット上に公開しない限り、いくら検索しても出てこない。

　これはインターネットに限らず、あらゆる（コンピュータで扱う）データベースについて言えることである。最初からデジタルで作られた情報（born-digitalな情報）は、たとえ最初はネット上に置かれていなくても、ネットでアクセスできるような形にすることは容易であるが、そうでない情報は、まず誰かがデジタル化してやる必要がある。

　たとえば、国立国会図書館は、1890年（明治23年）以降の帝国議会(https://teikokugikai-i.ndl.go.jp/)と国会(https://kokkai.ndl.go.jp/)の会議録をすべてデータベース化して公開している。しかし、そのうちborn-digitalなのは1999年以降で、98年までは紙で残っていた会議録を（大変な手間をかけて）スキャンして画像化したうえでOCRにかけたものなので、テキストデータにはまれに誤字・脱字が含まれている。また、1945年8月までは本文のテキストデータがまだほとんど作られていないので、本文中の語句を検索することができず、日付や会議名などを指定して画像を読むことになる。

　したがって、世の中には図書にしか載っていない情報や、限られた人しか知らない情報も多々存在する（そしてこれは古い情報に限った話ではない）。ネット検索だけでなく、図書館に行って調べたり、関係各機関に電話して問い合わせたり、あるいは直接出向いたり、

詳しい人に聞くなど、さまざまな方法を駆使してこそ、情報の達人といえよう。インターネットは情報を探す方法のone of themに過ぎないことを肝に銘じておきたい。

　また、検索で探し出せる情報は、誰かがインターネット上に公開したものである。つまり、必ず情報の作り手が存在するということも、意識しておきたい。

②　2系統の検索方法

検索サイトでは大別して次の2種類の検索方法が用いられている。

ディレクトリ検索　：図書館の分類表のように、あらかじめ用意された主題（カテゴリ）が階層化されており、それを画面上で見ながら、少しずつ絞り込んでいく検索方法。

キーワード検索　　：画面上の空欄（検索窓という）に、自分が考えている検索語を入力する方法。単独検索と複合検索（後述）とがある。

　歴史的には前者が一般的であった。この方法では、ウェブページを人が目で見て主題を分析するため、あるテーマに関して、なるべくノイズを少なくして、さまざまなサイトを網羅的に眺めたいときなど、効率のよい検索ができた。その後、ウェブ上の情報が爆発的に増加する中で、手間の問題もあり、後者が主流となっていった。しかし、サーチエンジンではない個別のデータベースでは、今でも使われていることがある（たとえば国立国会図書館のレファレンス事例集）。

③　キーワードを「含む」とは？

　キーワード検索の基本的な仕組みは、「こちらが検索語を入力すると、その語をキーワードとして含んでいるウェブページを探してきて表示する」ということである。

さて、「キーワードを含んでいる」とは、具体的にどういう意味だろうか。

①内容を表す語句を人間が付与している場合

　①－1　付与者はウェブページの作成者[注1]

　①－2　付与者は検索サイトの管理者

②ウェブページの本文の中にその語が含まれている場合

　Yahoo! がかつてディレクトリ型だったころは、基本的に①－2の考え方に立っていた。さらに、基本的に手動登録であった。このためノイズが少ない。たとえば、「吉永小百合」をキーワードとして入力すると、「吉永小百合」が明らかにテーマとなっているページだけがヒットする。その代わり、登録されていないページは出てこない。しかし、これでは激増するウェブ上の情報に追いつけず、「ノイズは少ないが、ヒット数も少ない」という状況を呈してきた。

　そこで今日では、ページの本文までくまなく検索する全文検索方式が主流になった。全文検索では、たとえば検索語を「吉永小百合」として検索した場合、映画や女優とは全く関係のない個人のブログであっても、文中でたまたま「喫茶店に入った。壁に吉永小百合の観光ポスターが貼ってあった」という一節があっただけで、ヒットしてしまうことになる。つまりどうしてもノイズが多くなる。このため、検索結果をいかに絞りこんでいくかが、工夫のしどころである。

　なお、実際にはそれぞれの検索エンジンで、キーワードの出現状況などを勘案して、内容的に検索語と関連が深そうなページを先に表示させるような工夫をしている。一方で、サイトを作成する側も、自分たちのページを上位に表示してもらえるような工夫を凝らしたりする（SEO=search engine optimization、検索エンジン最適化という）。

④　単純な検索と詳細な検索

　検索サイトの中には、最初の画面（トップページ）はGoogle風な
インタフェース（検索窓を1つだけ置いておく）にしておく一方で、
慣れたユーザのために「詳細検索モード」を用意しているところが
ある。

　例えば、Yahoo! Japanでは、トップページから直接このモード
に入ることはできないが、一度何かキーワードを入れて検索すると、
検索結果を表示する画面に「＋条件指定」というボタンが表示される。
これを押すと、「すべて含む」「順番も含め完全に一致」「少なくとも
一つを含む」「含めない」などと記された検索窓が並んだ画面になる。
それぞれ、検索式でよく使われる記号（演算子）ではand、引用符（"）、
or、notに相当する。

　図書館のウェブサイトの蔵書検索ではこの形式が一般的になって
きて、特に検索条件を入れなくてもトップページから「詳細検索」
をクリックすると直ちに入れることが多い。

　なお、「詳細検索」と聞いて「詳細な情報が得られる」と思ってい
る人がたまにいるようだが、そうではなく「詳しい条件を指定して
検索できる」という意味なので念のため。

⑤　ブール演算子

　検索エンジンによっては、ブール演算子（論理演算子ともいう。p.51
参照）が使える。多くの場合、前記のようにそれぞれの演算子に対
応する検索窓が用意されているが、中には検索式を直接入力できる
ところもある。たとえば、Yahoo! Japanの場合、ANDは空白、OR
はそのまま「OR」、NOTは「-」を使う。また、「-」のあとは空白
を入れない。したがって、「神奈川県␣住宅␣横浜␣OR␣川崎␣-住
居）」という検索式（␣は実際には空白）は、

すべて含む	神奈川県␣住宅
少なくとも一つを含む	横浜␣川崎
含めない	住居

と指定したのと同じことになる。

　なお検索式の書式はサイトによって異なり、また同一のサイトでも変更になることがあるので、実際に使う際にはヘルプ等で確認されたい。

⑥　リンク集の活用

　「漠然と情報を探したい」のではなく「特定のテーマについて広く情報を得たい」場合は、検索エンジンで直接検索するよりも、人間が作った適切なリンク集を使った方が、ノイズも少なく的確に探せることが多い。リンク集においては通常、その作成者が各サイトを実際に使ってみて、「内容的に関係がある」「有用だ」などと判断したもののみを掲載しているからだ。

　（探し方：サーチエンジンで、その主題と「リンク集」という言葉でand検索するとよい）

⑦　検索の留意点

①サーチエンジンは万能ではない

　インターネット上に存在しているが、検索してもヒットしない情報がある。たとえば、「ロボット除け[注2]」のあるページや、動的に生成されるページ[注3]などである。このようなウェブサイトを「深層web」などと呼んでいる。

②基本は文字列のマッチング

　意味を分かって検索してくれているわけではない。同じ文字が含まれていれば、別の意味で使われていてもヒットする。

　たとえば、「相対性理論」で検索すると、物理学の理論について書かれたサイトと、「相対性理論」という名前のアーティストについて書かれたサイトが混在して出てくる。このようなときは、自分が探したいサイトに出てきそうな語句を追加してand検索するとよい。

　逆に、入力時の誤変換やOCRの読み取りミスなどで、執筆者の意図したのとは異なる文字になっていると、必ずしもヒットしない。

③情報の信憑性

　よくも悪くも自由度が高いのがインターネットの世界である。基本的にどんな情報も発信可能（ただしヘイトスピーチや人権侵害、悪質なデマ等で削除を命じられることはある）なので、従来のメディアでは得られなかった貴重な情報が得られるという長所につながる。

・採算の面で商業出版ベースに乗らない内容の出版物
・Excel形式になっている統計データ（総務省統計局など）
・図書・新聞等では紙面のスペースの関係で省略されがちな詳細情報
・さまざまな報道発表、研究論文等
・文字・音声・動画等が一体となった情報（いわゆるマルチメディア）

　一方で、発信者が不明のために詳細を知りたくても連絡できなかったり、誤った内容、虚偽の情報、公序良俗に反する情報等も簡単に発信できるといったマイナス面もある。これらの情報も画面で見ると一見もっともらしく感じられることもあり、それだけ利用する側の知識が問われることになる。

　また、「教えて! goo」「Yahoo! 知恵袋」などの、質問を投稿すると回答が寄せられる掲示板形式サイトもある。運が良ければ、質問者の真の情報要求をくみ取った懇切丁寧な回答や、その分野の専門家による詳細で的確な回答が得られる可能性もある一方で、誤った回答が寄せられることもしばしばある。質問者がベストアンサーに選んでいるものが誤答という場合すらあるので注意が必要である。

④変化が激しい

インターネット上の情報はどんどん上書きされるので、最新の情報に対するタイムラグが少ない（きちんと管理していれば）一方で、古い情報がなかなか残らないという面もある。また、情報の移動、消滅が激しいため、後から利用・検証しようとしても困難なこともある。リンク集があっという間に「リンク切れ集」となり、クリックするたびに「404 Not Found」というエラーメッセージが表示されることもしばしばである。

したがって、参考・引用文献等にネット上の情報を使う場合は、URLだけでなくアクセス日も書くようにすること。また同じ情報が冊子体でも出ていれば、そちらを優先したい。

⑤質問は文章ではなく語句で検索

たとえば、人間に話すときは「今度の週末に長野の小布施の図書館でイベントがあるので、その近くに泊まろうと思うんだけれど、いい宿はないですかね。できれば温泉付きで」のような話し方をするかもしれない。最近はAI検索とやらで、このような自然言語による質問文をそのまま受け付けるようになっているところもあるが、まだまだ発展途上のようである（ただし家電製品のアフターサービスなど、話題がおのずと非常に限定されているサイトでは昔からかなり有効である）。それよりも、まずは鍵となる語句を考えて「小布施　宿泊　温泉」などとAND検索してみよう。その上で、どのように次の検索につなげるかは出てきた結果次第だが、いろいろと工夫ができるだろう。

⑥ゆるい検索

サーチエンジンでは、入力した文字列に多少の誤りがあっても、直して検索してくれる。

たとえば、Googleの検索窓に「メカルトル図法」と入れると、

次の検索結果を表示しています：メルカトル図法

元の検索キーワード：メカルトル図法

と表示される。地図の図法の話なら、正しい名称はメルカトルなので、入力者がタイプミスしたのでは？というわけだ。2行目をクリックするとようやく「メカルトル」で検索してくれる。

これは「サーチエンジンを使う人は必ずしも情報検索の達人とは限らない」という前提に立った、いわば親切設計である（ありがたい場合もあるが、「誤った」とされた語句や文字であえて検索したい場合もあるので、余計なお世話と感じられることもある）。一方、図書館のOPAC（蔵書検索）をはじめ、他の多くのデータベースでは、もっと厳密に処理される。したがって、サーチエンジンの感覚で使うと思い通りの反応にならないことがある。

【問い】あなたが親しんでいる図書館や国立国会図書館のサイトの蔵書検索機能を使い、「星の王子様」で検索してみよ。次に、Googleなどのサーチエンジンで同じ文字列を入れて、結果がどう違うか比べてみよ。

注1）HTMLファイルのヘッダー（ファイルの冒頭にあって、画面には表示されない部分）にMETAタグとしてキーワードを列挙しておく。

2）例えば、HTMLファイルの中のMETAエレメント内に、NOINDEXと書いておくと、検索エンジン側に登録されなくなり、さらにNOFOLLOWと加えておくと、そのページから張られているリンクを追跡しなくなる。また、ウェブサイトのルートにrobots.txtというファイルを置いて、その中に検索エンジン向けの指示を書いておく方法もある。

3）例えば、検索結果を表示するページ。URLも示されているが、一般には一時的なものであり、後で同じURLを入力しても同じ結果が出るとは限らない。

1.2　検索語とキーワード

　データベースを使った情報検索とは、端的には「利用者が入力した条件（手がかり）に合致するデータを探して出力すること」といえる。

　さて、この「条件（手がかり）」にはどのような種類があるだろうか。

　いま仮に、様々な人物の情報が収められているデータベースを使っているとしよう。

　「1950年生まれ」とか「身長180cm以上」のように数値データを条件として指定することもある。数値データの場合は、しばしば範囲を指定して検索する。

　氏名や職業などで探す場合は、文字列を手がかりにした検索といえよう。

　もし、顔写真のデータが収録されており、利用者がカメラに顔を向けると顔を認識してデータと照合するようになっていれば、これは画像を手がかりとした検索となる。

　人物データベースではないが、スマートフォンのアプリには、街中などで流れてきた音楽を聴かせると曲名を割り出し、音声の配信や歌詞の表示、CDの購入などができる機能をもつものがある。これは音声を手がかりとした情報検索である。

　このように情報検索においては様々な条件があり得る。以下では、これらの中で、昔から検索の手がかりとして広く用いられている「文字列による検索」について、もう少し詳しく見てみよう。

1.2.1　キーワード

　データベース内のデータを、文字列を手がかりとして探す場合、予めそれぞれのデータに「検索用の文字列」を与えておく。これをキー

ワード（keyword）という。実際に検索を実行したときには、利用者が指定した検索語と同じ（あるいは近い）キーワードをもつデータを探し出して出力する、というしくみである。

注意：「キーワード」という言葉自体は日常的に様々な意味合いで用いられており、たとえば「文章の中にあって、その文章の理解・読解の鍵となる重要な言葉」を指したり、「ある雑誌記事の内容に関連が深いと著者が考えた単語群」という意味で使ったりもするが、ここでは「検索に使えるように予め与える文字列」の意味で使う。「索引語（indexing term）」と呼ぶこともある。これに対して「利用者が入力した条件」のほうは「検索語（search term）」と呼ぶことにする。実際のデータベースの検索画面では、画面上で検索語を入れる欄に「キーワード」と書いてあることも多いので注意されたい。また、さらにやっかいなことに、公共図書館のOPACでは、「検索すべきフィールドを特定せず、入力された文字列をタイトル・著者名・出版者名・注記などから幅広く探し出す検索」のことを「キーワード検索」と呼んでいるところもある。

ところで、キーワードの与え方には2通りある。

1つは統制語（controlled term）または統制語彙（controlled vocabulary）といい、予め決めておいた一定の単語だけをキーワードとして使用する。もう1つは自由語（free term）といい、そのような制約がないものである。

たとえば、新聞記事データベースで、保育園に関する記事を探したいとしよう。

一般に新聞記事のデータベースでは、記事の本文や見出しの中に含まれている単語（主に名詞）をそのまま抽出してキーワードとしている。すなわち自由語である。

ここで検索語に「保育園」と入れれば、「保育園」という単語を含む記事がヒットする。しかし、もしある記事が「保育園」ではなく法律上の正式の用語である「保育所」という語を使っていたとしたら、その記事はヒットしないことになる。

一方、統制語を使ったデータベースでは、同義語は通常1つに絞られる。もしそのシステムで、例えば「保育園」と「保育所」では「保育園」のほうを統制語として付与することにしてあれば、実際の記事に出てくる語が「保育所」であったとしても、キーワードとしては「保育園」が付与され、実際に「保育園」という語を含む記事と一緒に、検索されて出てくることになる。

では、そのデータベースで仮に「保育所」を検索語にして検索したら、何もヒットしなくなってしまうのだろうか。これについては、後ほどシソーラスの所で触れることにしよう。

1.2.2　件名標目表

図書館の世界では、統制語を使って図書などの資料を検索する工夫が古くから行われてきた。

図書を探したいとき、具体的なタイトル（書名）や著者名といった書誌情報が分かっている場合もあるが、一方で「具体的にどんなタイトルの本があるのかは分からないが、子育てについて書かれている本を探したい」のように、その本が何について書かれているか（主題）を手がかりに探したい場合もある。

そこで、図書を探すための目録の中のデータに、それぞれの図書の主題を、キーワードとして付与しておくのだが、このとき、主題を表す語を書名や目次の中で使われている単語だけから拾ったのでは、見つかるべき本も見つからないということが起こる。

たとえば、『赤いバラは咲いたか』という本があるが、タイトルだけ見ると園芸の本か、恋愛小説と思うかもしれない。実はフランスの政治に関する本なのであるが、この本の存在を知らない人が、この本にたどり着けるためには、タイトル検索では不十分である（フランス政治について探している人が「赤いバラ」と入力しようと思

うだろうか）。したがって、タイトルとは別に、この本の主題はフランスの政治である、という情報を追加する必要がある。

　また、主題を表す語が書名中に含まれていたとしても、ある本は『育児のサイエンス』なので「育児」、別の本は『子育てで一番大切なこと』なので「子育て」、また別の本では『男の子ってこうして育つ』なので単語として主題を取り出しにくい、というようなこともある[1]。

　このような状況の中で「子育て（育児）に関する本をできるだけもれなく探したい」というニーズに応えるため、図書館の世界では昔から統制語を使って主題を表してきた。これを件名（subject）という。

　件名を付与する作業を行うためには、件名として使える語は何か、使えない語は何か、ということを調べるためのリストが必要になる。これを件名標目表（subject headings）という。日本では基本件名標目表（BSH）、国立国会図書館件名標目表（NDLSH）、また世界的には米国議会図書館件名標目表（LCSH）、米国国立医学図書館件名標目表（MeSH）などがよく知られている。また、最近の件名標目表は単なる単語のリストではなく、次に述べるシソーラスの形態をとるものが多い。

注1）　「育つ」は主題ではないのかと思われるかもしれないが、主題を表す語句には名詞（または文法的に名詞と同等の語句）を用いるのが一般的である。

1.2.3　シソーラス

　シソーラス（thesaurus）とはもともと類語辞典の一種を指すが、情報処理や情報検索の分野では、キーワード検索に使われそうな単語をリストアップし、それぞれの単語について、使用の可・不可、その語の守備範囲、他のキーワードとの関係、語の階層関係などを明示し、一覧できるようにしたものをいう。つまりこれも統制語である。

日本では、JST科学技術用語シソーラス、日経シソーラスなどが有名である。また、先述の基本件名標目表や国立国会図書館件名標目表も今日ではシソーラスに加えてよいかも知れない。

　このうちBSH以外はインターネット上でも閲覧できる。

国立国会図書館サイト「国立国会図書館典拠データ検索・提供サービス(Web NDL Authorities)」
　　　https://id.ndl.go.jp/auth/ndla
JSTシソーラスマップ
　　　https://thesaurus-map.jst.go.jp/jisho/fullIF/
日経シソーラス
　　　http://t21.nikkei.co.jp/public/help/contract/price/20/help_kiji_thes.html　　　　　　　　（2022年10月30日現在）

実際にシソーラスの例を見てみよう。

```
清涼飲料(セイリョウインリョウ)          EF11   1378,1378
  LS72851,202                          NT     PHS【通信】
  UF   ソフトドリンク                            携帯電話
  NT   ジュース飲料                             コードレス電話
       ・   果実飲料                     BT     音声通信
       ・・  オレンジジュース                    ・通信
       ・・  グレープジュース               RT     インフォーマルコミュニ
       ・・  りんごジュース                        ケーション
       ・   濃縮ジュース                          オーラルコミュニケー
       ・   粉末ジュース                          ション
       ・   野菜ジュース
       ・・  トマトジュース            インフォーマルコミュニケーション
  炭酸飲料                          （インフォーマルコミュニケーション）
       ・   コーラ飲料                   BA01   146,51
  乳飲料                                 NT     オーラルコミュニケー
       ・   酸乳飲料                              ション
       ・   ラクトース分解乳             BT     コミュニケーション
  BT   飲料                             RT     会議
       ・   食品                                 電話
                                                通信
  ＊ソフトドリンク (ソフトドリンク)
  LS724,4
  USE 清涼飲料

  電話 （デンワ）
```

図5　『JICSTシソーラス1999年版』より

① 階層関係の示し方

シソーラスの大きな特徴の一つが、言葉（が表している概念）同士の階層関係を示している点である。

その前に、「上位概念」「下位概念」の説明をしておこう（図6参照）。

ある概念Aが、概念Bを完全に含んでいる関係にあるとき、「AはBの上位概念である」といい、また「BはAの下位概念で

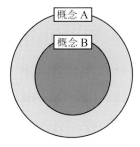

図6　上位概念・下位概念

ある」という。集合論の言葉を使えば、BはAの真部分集合（A⊃B）ということである。

上位概念を表す語を上位語という。その反対が下位語である。

　　例：生物＞動物＞脊椎動物＞哺乳類＞ネコ目＞ネコ科＞ネコ＞三毛猫

この並びの中から2つの語をとりだしたとき、左側にある語の方が上位語である。

シソーラスでは一般に、次のような略号で階層関係を示す。

BT（broader term(s)、上位語）

見出し語に対して上位概念となる語。

図5の例では、「清涼飲料」の上位語は「飲料」で、さらにその「飲料」の上位語は「食品」であることが分かる（点の数で段階を示す）。

なお、BSHではTT（top term）という表記があり、これは見出し語から上位へ上位へと進んでいったとき天井となる語（最上位語）を示しているが、これはBSHの本表においては直上のBTのみ示し、2段階以上上位の語は別冊を見ないと分からないようになっているからである。これに対しJICSTシソーラスでは、見れば分かる（最も点の多い語が最上位語）のでTTという表記は使っていない。

NT（narrower term(s)、下位語）

　見出し語に対して下位概念となる語。図5の例では点が増えるほどさらに絞り込まれる。なお、Aという語の下位語がBであれば、Bという語の項にはその上位語としてAが示されているはずである。

RT（related term(s)、関連語）

　完全な上下関係ではないが、見出し語と意味が部分的に重なっていたり、意味上の関連が深い語。

　なお、Aの関連語としてCがあげられていれば、Cの項にも関連語としてAがあがっている。

② 優先関係の示し方

　前述のように、シソーラスでは同義語の統制を行う。シソーラスでは、キーワードとして使える語をディスクリプタ（descriptor）、使えない語を非ディスクリプタ（non-descriptor）という。

　シソーラスでは（件名標目表でも）両者は明確に区別して表示されている。たとえばJICSTシソーラスでは、次のような記号を用いる。
・普通の見出し語（例えば「清涼飲料」）＝ディスクリプタ
・＊付きの見出し語（例えば「ソフトドリンク」）＝非ディスクリプタ。代わりにUSEの後に示された語を使用する。（USEではなく「→」で示してあるシソーラスもある。）

　なお図書館で使われているカードや冊子体などの目録では、「ソフトドリンク は 清涼飲料 を見よ」という「を見よ参照」として表示される。

UF（used for）

　見出し語に対応する非ディスクリプタを示す。「清涼飲料」の項に

「UF　ソフトドリンク」とあれば、ソフトドリンクという非ディスクリプタの代わりに清涼飲料という語を使うことが分かる。UFではなく「←」で示してあることもある。

　さて、前述の「保育園」「保育所」の問題で、ディスクリプタが「保育園」だった場合、「保育所」で検索したらどうなるかという話だが、気の利かないシステムでは何もヒットしない。

　気の利いたシステムでは、シソーラスが内蔵されていて、自動的にディスクリプタに変換して検索してくれる。

③　その他
SN（scope note）
　見出し語の定義や使用範囲などが書かれることが多い（JICSTシソーラスにはない）。

1.2.4　自由語と統制語

　自由語はキーワードの付与が簡単だが、検索モレ（次項参照）が生じる恐れがあるという欠点がある。一方、統制語は検索モレが少なくなるが、シソーラスが改訂されるまでは新しい概念などがうまく表現できないというタイムラグがある。例えば、国立国会図書館の目録では「インターネット」という件名が採用されたのは2001年5月25日である。それまでは「s1.データ伝送　s2.通信網」という2つの件名を与えていた。　→ 1.3.3「検索語の選定」の項も参照

1.2.5　欲しい情報と出てくる情報─再現率と精度

　検索エンジンを使っていて、ネット上に確かにあるはずのウェブページがなぜか見つからず、検索語や検索式を変えたり、検索エン

ジンを変えたり、試行錯誤の末にようやく見つけた、という経験を持つ人は多いであろう。また逆に、大量のウェブページがヒットしてしまい、その大部分が必要のないページだったこともあろう。ここではそういった問題について少し考えてみたい。

　図7で、一番外側の大きな長方形が、データベースが持っている全ての情報だとする。2つの円は、それぞれ、自分の要求に合致している情報の集合（図では「欲しい情報」と表示）と、実際に検索を実行した結果出力された情報の集合（図では「ヒットした情報」と表示）を表す。すなわち、本当はAとBが欲しいのに、Aはヒットせず、その代わり、求めていた情報Bのほかに、自分には必要のない情報Cもヒットした、ということを示している。ここで、Aの部分、つまり「欲しいのにヒットしなかっ

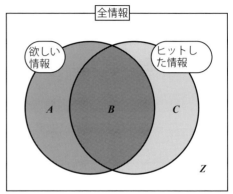

図7　精度・再現率・ノイズ・モレ

た情報」のことをモレ（miss）という。また、Cの部分、つまり「必要がないけれどもヒットした情報」をノイズ（noise）という。

	ヒットした	ヒットしなかった
求めている情報	B	A（モレ）
不必要な情報	C（ノイズ）	Z

　理想としては、モレやノイズが発生せずに、求めている情報が全てヒットする検索が望ましいのだが、実際にはなかなかそうはいかない。「どれだけ理想に近いか」という観点から、情報検索システム

や検索結果を評価する尺度として、次の2つの数値が使われる。

　「ヒットした情報のうち、自分の要求に合致しているのがどれだけあるか」を精度（precision rate）という。

　また、「探している情報のうち、どのぐらいが実際に検索されて出てきたか」を再現率（recall）という。

　式で書けば、

$$精度 = \frac{B}{B+C} \; ; 再現率 = \frac{B}{A+B}$$

となる。（ただし、「集合Aに含まれるデータの件数」を単にAと表した。B、Cも同じ。）

　こういう式は苦手、という人もおられるだろうが、上の式を数学や物理の公式のように丸暗記しても意味はない。モレをA、ノイズをCで表すと決まっているわけではないので、うっかりAをCと間違えたりしたらアウトである。それよりも、式そのものの意味をしっかりと理解しよう。

　言葉で表現すると、精度とは「出てきた情報のうち、どれだけが必要としていたものか」、すなわち「ノイズの少なさ」である。

　再現率とは「欲しい情報のうち、どれだけがヒットしたか」、いいかえれば「モレの少なさ」である。

　キーワードを上位概念にしたり、論理演算子のOR（p.18参照）を使用して範囲を広げるなどすれば、モレは減るが、代わりにノイズが増える。つまり再現率は大きくなるけれども、精度は小さくなる。極端な話、収められているデータをすべて出力すれば、モレは0件なので再現率は100％だが、これでは検索したことにならない。

　逆に、検索範囲を絞り込んでいくと、ノイズは減る一方、モレが生じ、つまり精度は良くなるが再現率は低下する。

　このように、両者はいわゆるトレードオフ（trade-off）の関係に

あるので、適当なところでバランスを取る必要がある。

　どの辺りでバランスを取るかは、検索の目的、検索にかけられる時間、データベースの使用料金体系（使用時間で計算するか、ヒット数で計算するか）などを判断して決めることになる。

　なお実際には再現率の正確な算出は困難である。その定義から分かるように、モレの件数を知る必要があるのだが、「検索しても出てこなかった」からこそモレになっているのであって、それが何件あるかはすぐには分からないからである（テスト用のサンプルデータのようにデータの全数がそれほど多くない場合は、全てのデータを専門家の目で見て、本来出てくるべきなのに出てこなかったデータを数えたりする）。とはいえ、情報検索を行っていると、精度と再現率のトレードオフの関係はしばしば実感するところである。

1.2.6　逐次検索と索引検索

　本項では、利用者が検索条件を指定してから、結果が表示されるまでの部分、すなわち、コンピュータが実際にどのようにして情報を探しているのかについて、もう少し突っ込んだ説明をしてみる。

　なお、ここでの説明はいわば「イメージ」であって、実際のデータベースプログラムの動作とは異なる部分がある。したがって、コンピュータに詳しい人が読むといろいろと気になる箇所もあるだろうが、ご了承いただきたい。また、検索効率の向上のため、実際にはここに説明していないさまざまな工夫が考えられている。気になる人はデータベースに関する専門書などで学習されたい。

　もっとも原始的な探し方は、「片っ端から見ていく」というやり方である。これを逐次検索（sequential searching）という。インターネットのブラウザの「検索」機能や、ワープロソフトの「検索」「置換」機能など、広く使われている。

　長所として、①プログラムが簡単である、②前もって検索のため

の準備をしておく必要がない、といった点がある。一方で、①検索対象が増えると時間がかかる、②そこにある情報そのものしか探せない（例えば文書中の単語を、別の同義語から探すことは出来ない）、といった欠点もある。

　特に、検索時間の問題は、データベースがネットワーク上に置かれ、数多くの利用者が同時に検索をかけるようになると、大きな問題になる。例えば、検索ボタンを押してから結果表示まで3秒かかるとしたら、その程度ならたいていの人は待てるだろうが、同じ検索を200人が行えば10分間待つことになる。

　そこで、検索の効率を上げるため、索引ファイルというものをあらかじめ作成しておき、これを介して検索する方法がある。これを索引検索（index searching）という。

　この検索方式では、「検索したいデータを1件1件納めたデータベースファイル」（いわば原簿）の他に、「検索を迅速に行なうために補助的に使う索引ファイル」が作成される。

　データベースファイルの基本形は、次のような表形式で捉えることができる。

例1　図書目録（特に図書目録の場合、この原簿に当たるデータベースファイルを「書誌情報ファイル」という）

ID	タイトル	責任表示	出版者	件名	定価	NDC
98025757	時刻表昭和史	宮脇俊三 [著]	角川書店	鉄道−日本−歴史；日本−紀行；列車運転時刻表	1500	686.55
96063458	時刻表百年のあゆみ	三宅俊彦著	交通研究協会	列車運転時刻表−歴史	1500	686.55
98025966	バードウォッチング	樋口広芳著 嶋田忠写真	平凡社	鳥	940	488.1

　上の表で、横の1行1行の並び（1冊1冊のデータ）を「レコード」と呼び、それらを一意に区別するために、重複しないレコード番号

がつけられている（上の例はIDと表記）。また、縦の1列1列の並び（図書目録でいえば書誌要素）を「フィールド」と呼ぶ。

　このファイルは、「IDを指定して、そのレコードの情報をとってくる」という操作に特化した構造になっており、そのような探し方をした場合、非常に迅速に結果を返す。一方、それ以外のフィールドを検索条件にして探そうとすると、時間がかかってしまう。

　しかし、実際の検索で「時刻表昭和史という題の本を探したいのですが」という人はいても、「ID＝98025660の本が読みたいなあ」という人はまずいまい。

　では、「時刻表昭和史という題の本」を探すにはどのようにしたらよいか。

　最も原始的な方法は、「タイトル」フィールドに対して「時刻表昭和史」という文字列で逐次検索を行うやり方だ（実際、公共図書館にOPACが登場した初期の頃、この方式を採用していると思われるOPACに出会ったことがある）。しかし、この方法では、蔵書数や目録にアクセスする人数が増えると、たちまち効率が悪くなる。

　そこで、タイトルから迅速に探すための「タイトル索引ファイル」を作る。

タイトル索引ファイル

タイトル	レコード数	ID
アユミ	1	96063458
ウォッチング	1	98025966
ジコクヒョウ	2	98025757, 96063458
ジコクヒョウ　ショウワシ	1	98025757
ジコクヒョウ　ヒャクネン　ノ　アユミ	1	96063458
ショウワシ	1	98025757

バード	1	98025966
バード　ウォッチング	1	98025966
ヒャクネン	1	96063458

注　1）　この索引ファイルでは各項目が50音順に並んでいるが、これはいわば
「検索に便利な順」であることを示す「イメージ」である。要は、「ある文
字列が入力されると、その文字列が左側の欄にあるかどうかを瞬時に見つ
けられるように、工夫されているファイル」と考えてほしい。日本語に親
しんでいる人間にとっては、50音順に排列すると探しやすいと感じられ
るだろうが、コンピュータはそうではないので、また別の探しやすいよう
なデータ構造の工夫がされている。気になる人は専門書などで学んで欲し
い。

　　2）　原簿のデータファイルは「ID→各フィールドのデータ」という探し方
が迅速にできるように作られている。一方、索引ファイルは逆に「各フィー
ルドのデータ→ID」が素早く探せるように作られている。そこで、索引ファ
イルのことを転置ファイル（inverted file）と呼ぶことがある。

　　3）　ここではタイトルとして読みしか入れていないが、表記形からの検索
も可能にするためには例えば「時刻表」「地価」等の形も記録する必要があ
る。他の索引ファイルも同様。

　同様に、著者名や件名などからIDを探すための索引ファイルも作る。

著者索引ファイル

著者名	レコード数	ID
シマダ　タダシ	1	98025966
ヒグチ　ヒロヨシ	1	98025966
ミヤケ　トシヒコ	1	96063458
ミヤワキ　シュンゾウ	1	98025757

件名索引ファイル

件名	レコード数	ID
テツドウ(鉄道)－ニッポン(日本)－レキシ(歴史)	1	98025757
トリ(鳥)	1	98025966
ニッポン(日本)－キコウ(紀行)	1	98025757
レッシャウンテンジコクヒョウ(列車運転時刻表)	2	98025757, 96063458
レッシャウンテンジコクヒョウ(列車運転時刻表)－レキシ(歴史)	1	96063458

NDC索引ファイル

NDC	レコード数	ID
488.1	1	98025966
686.55	2	98025757, 96063458

検索の流れ

　ここでは索引ファイルを用いた検索の流れについて概説する。

　まずコンピュータに対して、「このようなタイトル（著者名、件名、出版者名、分類番号…）をもつ資料を探せ」と指示する。この指示（つまり入力する文字）を検索式という。

　古くからある、コマンド型と呼ばれる検索方法では、指示を次のような文字列（コマンド）にして入力する。ただこの方法は初心者にわかりにくいので、利用者用のコンピュータでは（特に公共図書館）用いられなくなった。しかし慣れるといろいろ複雑な検索が出来て便利なので、業務用としては今日なお用いられている。

　一例として、1980年代後半のある大学図書館OPACで用いられて

いたコマンドを示す。

　　例：<u>s t=赤毛のアンナ</u>（「赤毛のアンナ」というタイトルの資料を
　　　　探せ、の意味。それぞれsearch, titleの頭文字。なお下線部分
　　　　を入力する。）
　　　　<u>s a=大原櫻子</u>（著者が大原櫻子。author）
　　　　<u>s s=青汁</u>（件名が青汁。subject）

　このコマンドもシステムごとに異なり、他の図書館ではたとえばタイトル検索を「<u>t　赤毛のアンナ</u>」としていたし、現在も稼働中のJDreamIII（科学技術文献情報データベース）では、上記の3つはそれぞれ「赤毛のアンナ/TI」「大原櫻子/AU」「青汁/CW」のようになる。

　これに対し、今日普及している多くのシステム（仮にグラフィカル型、またはGUI型とでも呼ぼうか）では、画面上に予め

| タイトル　▼ | |
| 著者名　　▼ | |

などと書かれた空欄があり、そこに文字列を入力していく。例えば著者の欄に「大原櫻子」と入力したならば、「s a=大原櫻子」という検索式を入力したのと同じことになる。また、検索に使用するフィールドは、かつてはあらかじめ「この窓に文字列を入れたら、タイトルで検索する」のように固定されていたが、最近は▼をクリックすると使用できるフィールド名が一覧表示される「ドロップダウンメニュー方式」も多くなった。

　いずれの方式にせよ、検索式が入力されると、コンピュータは検索式を解釈し、資料を探しに行く。その過程を少し詳しく述べると、

1.　利用者が検索式を入力する。
2.　コンピュータは、検索語がどのフィールドに対するものなのかを判定して、それに対応する索引ファイルを探しにいく。
3.　該当する項目が見つかったら、それらのID番号を全部記憶する。

4. 次に、それぞれのID番号をもつ書誌データを書誌ファイルから
   とって来て、順次表示する^{注4)}。

○2段階の利点

　このように2段階に分けることで探す手間が2倍になるのでは？と
思うのは早計。たとえ2段階になっても、原簿のデータファイルに逐
次検索をかけるよりずっと早いことが多い。データの件数が増えれ
ば増えるほどその差は明らかである。（検索エンジンで、結果表示と
共に「約182,000,000件（0.17秒）」などと表示されるが、たった0.17
秒で世界中のサイトの中から1.8億件ものページを検索しているわけ
ではない。あらかじめ作成しておいた索引ファイルの中を探すのに
0.17秒かかったという意味である。）

　もっと威力を発揮するのは、論理演算子（ブール演算子）を用い
た検索である。

　仮に、「タイトルにテレビという語を含み、著者がヤマダさんの本」
を探すとする。

　逐次検索方式で「タイトル＝テレビ and 著者＝ヤマダ」という条
件に合致するレコードを探すのは大変な手間がかかる。しかし、2段
階に分けると、次のようになって大変スピーディーである。

1. タイトル索引ファイルを見て、「タイトル＝テレビ」に当てはま
   るレコードのIDを全部リストアップする（ここでヒットした結
   果をひとまとめにして考え、文献集合1と呼ぶことにする）。
2. 著者索引ファイルを見て、「著者＝ヤマダ」に当てはまるレコー
   ドのIDを全部リストアップする（これを文献集合2とする）
3. それぞれの文献集合に含まれているID番号を片っ端から見比べ

ていって、両方に含まれているものを文献集合3とする。

4.　文献集合に含まれるIDの全てについて、原簿のファイルから書
　　誌情報を出力する。

　ミソはこの手順の3である。数値同士の比較であるから、文字列を
扱うより格段に早い。しかも、あとから条件をandの代わりにorや
notにして探し直したくなったとしても、比較の条件をちょっと変え
るだけであるから、文献集合1や2のIDはそのまま使える。（原簿ファ
イルを直接探す方式だと、一から探し直し。）

　ここで、次の事実に注意されたい。

　①どのようなアクセスポイントから検索できるかは、どのような
　　索引ファイルを作るかによる。したがって、たとえば図書館の
　　OPACには書誌データとしてほぼ必ずページ数が記録されてい
　　るが、それに対応する索引ファイルは通常作られていないので、
　　ページ数で検索することはできない。

　②元のデータに書かれていない情報であっても、索引に追加して
　　記載すれば探すことができる。たとえば新聞記事の全文データ
　　ベースで、記事本文では例えば「保育所」と書いてあっても、
　　索引では「保育所」「保育園」の両方を登録すればどちらからで
　　も検索可能になる。ただし、このような対応を大規模に行う際
　　には、個別の索引語レベルでその都度両方を登録するよりも、
　　同義語辞書ファイルを作る等、別途にきちんとしたしくみを作
　　る方が効率的であろう。

　③索引ファイルは、新しいデータが追加されたり修正されたりす
　　るたびに随時DBMS（データベースを維持管理するプログラム）
　　のほうで自動的に作成・更新されるようにしてあるので、利用
　　者は特に気にする必要はない。

1.3 検索の手順—検索戦略の構築

　情報や資料への要求を表現した検索質問に対して、その要求をみたす情報や資料を入手するためには、検索戦略というものを構築する必要がある。

```
┌─────────────┐
│  質問の受付  │
└──────┬──────┘
       ↓
┌─────────────┐
│インタビューの実施│←─────┐
└──────┬──────┘       │
       ↓              │
┌─────────────┐       │
│  質問の確定  │       │
└──────┬──────┘       │
       ↓              │
┏━━━━━━━━━━━━━┓       │
┃ 検索戦略の構築 ┃       │
┃┌───────────┐┃       │
┃│ 質問の分析 │┃       │
┃└─────┬─────┘┃       │
┃      ↓      ┃       │
┃┌───────────┐┃       │
┃│情報源の選択 │┃←─────┤
┃└─────┬─────┘┃       │
┃      ↓      ┃       │
┃┌───────────┐┃       │
┃│ 検索語の選定 │┃       │
┃└─────┬─────┘┃       │
┃      ↓      ┃       │
┃┌───────────┐┃       │
┃│ 検索式の作成 │┃       │
┃└───────────┘┃       │
┗━━━━━━┳━━━━━━┛       │
       ↓              │
┌─────────────┐       │
│  検索の実行  │       │
└──────┬──────┘       │
       ↓              │
┌─────────────┐       │
│ 検索結果の評価 │──────┘
└──────┬──────┘
       ↓
┌─────────────┐
│  回答の提供  │
└─────────────┘
```

図8　レファレンスプロセス

　この検索戦略を構築するにあたっては、あらかじめ要求の内容を十分に把握することが必要である。そのために、図書館におけるレファレンスサービスや情報検索サービスでは、利用者から受け付けた質問にたいして直ちに回答を提供するのではなく、質問として表現された情報や資料への真の要求を把握するための作業が行われる。この作業をレファレンスインタビュー、あるいはプレサーチインタビューという。図書館員が利用者へのインタビューをとおして把握しておくことが望ましい項目として、R.S. Taylorは、1）求める情報や資料の主題、2）情報や資料入手の動機（問題状況）や目的、3）利用者の属性（求める情報や資料の主題に関する利用者の知識状態、探索歴等）、4）期待される回答（情報量、文献数等）等をあげ、これら

を不明確な要求から真の要求を導くためのフィルターと称している（ Taylor, R.S. "Question-negotiation and information seeking in libraries," College and Research Libraries, vol.29, no.3, p.178-194, 1968）。

　以上の利用者からの質問の受付から回答の提供に至る過程をレファレンスプロセス（図8）という。

　インタビューの結果、明らかにされた情報や資料への要求を表した質問について、図書館員は検索戦略を構築することになる。検索戦略の構築によって最終的に定式化された検索式をつかって検索を実行する。実行の結果、得られた検索結果については、適合性（relevance）と適切性(pertinence)の観点から評価する。この適合性と適切性の評価は上記のフィルターに基づいて行われる。すなわち、適合性の評価は検索結果が質問の主題に合致しているかどうかを評価するものであり、適切性の評価は検索結果が動機や目的、利用者の属性に照らして妥当かどうかを評価するものである。適合性と適切性の評価の結果、要求をみたしていないと判定された場合には、検索戦略の再検討、さらには、インタビューにまでさかのぼって要求の再確認を行い、検索戦略を構築し直し、改めて検索を実行する。こうして、最終的に検索された結果が要求をみたすものと判定されたならば、その検索結果を利用者に回答として提供することになる。

　以上の質問の受付に始まるレファレンスプロセスは、回答の提供をもって終結となるが、回答の提供にあたって重要なことは、典拠とした情報源を明示することである。事実検索質問であれば、回答が含まれている事典類を中心とするレファレンス資料の書誌的事項を明示する必要がある。文献検索質問であれば、使用した書誌・索引の書誌的事項（書誌データベースであれば、そのデータベースの提供機関、データベース名、アクセス日時等）を明示する必要がある。

ところで、情報や資料を求める人間が、図書館員への支援を求めることなく、自ら検索を行う場合でも、レファレンスインタビューをとおして把握することが望ましいとされる項目（フィルター）は、自らの要求を明確に認識し、要求に適合しかつ適切といえる情報や資料であるかどうかを判断するうえで参考となる。生涯学習社会や知識基盤社会と呼ばれる現代社会において、市民には自らの知識を常に更新することが求められている。検索戦略の構築に関する知識とスキルは、現代社会に生きる市民に必要な知識更新のために必須な情報探索能力の中核をなすものである。

　以上、レファレンスプロセスについて述べてきたが、以下では、レファレンスプロセスの主要な段階である検索戦略の構築を中心に検索手順の実際について解説する。

　そこで、レファレンスインタビューの結果、明らかにされた質問として、次のような文献検索質問を取り上げる。

> 質問A：2020年以降に出版された登校拒否といじめについて日本語で書かれた図書と雑誌記事が知りたい。利用者は教育学を専攻しており、大学の授業で課されたレポート作成のために資料を集めている。

　検索戦略の構築は、図8に示したように、質問の分析　⇒　情報源の選択　⇒　検索語の選定　⇒　検索式の作成、という４段階からなる。以下、各段階について取り上げる。

1.3.1　質問の分析

① 質問の分析の実際

　検索戦略の構築の第一段階が【質問の分析】である。ここでは、質問の主題が何であり、その主題について何を要求しているのか、

すなわち質問の〈主題と要求事項〉を明らかにする作業が展開される。上記の文献検索質問は、主題は〈登校拒否といじめ〉、要求事項は〈図書と雑誌記事〉となる。たとえば、「2020年以降の登校拒否といじめの件数について知りたい」という事実検索質問であれば、主題は同じく〈登校拒否といじめ〉であるが、要求事項は〈統計データ〉となる。いずれの質問も、その主題は〈登校拒否といじめ〉という二つの概念から構成されているが、このように主題が同じでも要求事項が異なれば異なる質問となる。

　上記の質問は、主題の条件に加えて、出版年の条件も含まれている。また、こうした質問が生じた問題状況は大学の授業でレポート課題が出たこと、資料を必要とする目的は課題レポートを作成すること、さらに、利用者の属性は教育学を専攻する大学生であることも、レファレンスインタビューをとおして明らかにされている。以上のことから、求める資料は初学者向けでなく、レポート作成という目的をもち、求める資料の主題に関して一定の専門知識を有する利用者にとって適切な資料でなければならないことがわかる。こうした主題以外の要素をも考慮して、情報源の選択、検索語の選定、検索式の作成を進める必要がある。

② 主題と要求事項の類型

　一般に、情報や資料への要求を表した質問の主題と要求事項については、それぞれ、表1のように類型化することができる。上記の質問Aは、主題が〈登校拒否といじめ〉であるから、主題は〈テーマ（主題）〉、要求事項は図書と雑誌記事の〈書誌的事項〉からなる質問として分析することができる。

表1　主題と要求事項の類型

主　　　題	要　求　事　項
語句、用語、文字	解説
事実、事項、事物	人物、団体
テーマ（主題）	日時
地理、地名	統計データ
歴史、日時	図、画像
人物、団体	書誌的事項
図書、雑誌、新聞	所在情報
雑誌記事、新聞記事	

③　主題分析

　上記の質問Aの主題は、〈登校拒否〉と〈いじめ〉という二つの概念から構成されており、それらの概念はいずれも必須であることから、その二つの概念間の関係は論理積の関係となる。こうした主題分析の結果は、以下で述べる「検索語の選定」と「検索式の作成」に反映されることになる。

1.3.2　情報源の選択

① 情報源の選択の実際

　検索戦略の構築の第二段階は【情報源の選択】である。ここでは、質問の分析結果をもとに、その質問に回答するために使用すべき情報源を選択する。

　一般に、表1に示した主題の類型と要求事項の類型との組み合わせからなる質問に回答するために使用すべき情報源の類型は表2のようになる。

表2　質問（主題と要求事項）の類型と情報源の類型

質　　問		情　報　源
主　　題	要求事項	
語句、用語、文字	解説	国語辞書、漢和辞書
事実、事項、事物	解説	百科事典、専門事典
テーマ（主題）	図書、雑誌記事	書誌・索引
地理、地名	解説	地理事典、地名事典
歴史、日時	解説	歴史事典、年表
	データ	統計資料
人物、団体	解説	人物事典、人名事典
図書、雑誌、新聞	書誌的事項、所在情報	書誌・索引、蔵書目録、総合目録
雑誌記事、新聞記事	書誌的事項	書誌・索引

　上記の質問Aは、主題として社会科学系の〈テーマ（主題）〉が扱われており、要求事項は、日本語で書かれた2000年以降出版された図書と雑誌記事の〈書誌的事項〉であることから、このような質問をみたす資料の検索が可能な情報源の類型は〈書誌・索引〉となる。この類型に属する具体的な情報源として、国立国会図書館のNDL ONLINEがあげられる。このNDL ONLINEの利用にあたっては、この書誌データベースが図書や雑誌記事のみならず、多様な資料を収録しているため、資料種別として、〈図書〉、〈雑誌記事〉を指定する必要がある。

　たとえば、「与謝野晶子に関する研究図書を入手したい」という質問は、主題が〈人物〉であり、要求事項が〈書誌的事項と所在情報〉となる。この質問の回答を得るには、研究図書にどのようなものがあるか調べるために〈書誌・索引〉の利用が必要となり、次に、そ

の書誌・索引に収録されている図書の所在情報（排架場所、所蔵図書館）を調べるために、〈蔵書目録〉、〈総合目録〉を選択する必要がある。

③ インターネット上の情報源の選択

　回答を得るために使用する情報源として、インターネット上の情報源を選択する場合には、その**信頼性**について十分に評価する必要がある。図書館の情報サービスの一環として行われる情報検索では、使用する情報源の信頼性がきわめて重要である。インターネット上の情報源には、インターネット上で利用可能な辞書・事典や書誌・索引等のレファレンス資料も含めて考えることができるが、信頼性評価が特に重要となるのはサーチエンジンで検索可能なレファレンス資料以外の情報源である。

　アメリカ図書館協会（ALA）の下部組織である「レファレンス・利用者サービス部（RUSA）」に属している「コンピュータによるレファレンスサービス支援部会（MARS）」では、サーチエンジンで検索可能なインターネット上のフリーの情報源をレファレンスサービスのための情報源として選択する際の基準として以下の表3に示した項目をあげている。

- 情報内容の質の高さ・詳細さ・有効性
- レディレファレンス：特定の質問に回答するレファレンスへの有効性
- 内容の最新性
- 情報生産者（ホームページ作成者）の**典拠性**（authority）
- 内容の独自性

表3 インターネット上の情報源の評価基準

　（ALA. RUSA MARS. "Criteria for Selection of MARS Best Reference Websites," https://www.ala.org/rusa/sections/mars/marspubs/ marsbestrefcriteria　　　　　最終アクセス日：2022年10月23日）

　このなかで特に重視すべき評価項目は、情報源の信頼性評価に不可欠な情報生産者の**典拠性**である。この典拠性の評価とは、当該ウェブサイトの作成者が、そのウェブサイトに掲載している情報内容を生産・発信する資格と専門的権威を有した機関・個人であるかどうかを判定することである。情報内容を生産・発信するだけの専門性を有する機関または個人でない場合には、そのサイトをレファレンスサービスのための情報源として選択することは避ける必要がある。

　たとえばフリーの百科事典であるWikipediaは、この基準に照らすならば、レファレンスサービスのための情報源として適していないことになる。その理由として、Wikipediaは各項目の記述の作成者、すなわち、著者（author）が明記されていない点があげられる。この匿名性のため、当該項目の情報内容を作成・発信するだけの専門的権威と専門性を有している専門家による記述であるかどうかの判断ができない。それゆえ、Wikipediaの利用は原則として控えるべきである。参考までにWikipediaを利用する場合には、図書や雑誌記事等の文献を脚注に取り上げている項目に限定したうえで、その脚注に示された図書や雑誌記事等の文献を参考とする範囲にとどめることが肝要である。

1.3.3　検索語の選定

① 検索語の選定の実際

　検索戦略の構築の第三段階が【検索語の選定】である。検索語の選定にあたっては、次の二点に留意する必要がある。第一に質問の主題を的確に表現している語であること。第二に選択した情報源において検索語としての使用が可能な語であること、の二点である。

上記の質問Aの主題は〈登校拒否といじめ〉であることから、検索語の候補としては、「登校拒否」と「いじめ」があげられるが、これらの語によって求める文献の主題が的確に検索できるかどうかを検討する必要がある。なぜなら、主題からの情報検索は、その主題が意味する概念による検索が求められるからである。それゆえ、利用者が質問の主題として提示した語をそのまま使用するのでなはく、その主題が意味する概念を指示する語を選択する必要がある。その選択にあたって留意すべきことは、自由語と統制語の区別である。

② 自由語と統制語

　主題概念を表現した検索語には自由語と統制語の二種類がある。自由語とは、その語の使用方法や意味範囲が予め規定されていない語であり、書名中の語、抄録中の語が該当する。一方、統制語とは、主題概念を表現した件名標目やディスクリプタがそれにあたる。

　情報源として選択した「NDL ONLINE〈詳細検索〉、〈資料種別：図書と雑誌記事〉」は、検索語としてこの自由語と統制語の両方の使用が可能な情報源である。検索項目の「タイトル」を使えば、自由語による検索が可能である。さらに、「NDL ONLINE〈詳細検索〉、〈資料種別：図書〉」が収録している図書に関する書誌レコードには、各図書の主題として、件名標目が付与されており、検索項目の「件名」を使えばこの件名標目による検索が可能となる。

　件名標目とは、ある特定の概念を指示する同義語が複数存在する場合、優先語（統制語）として指定された語をいう。それゆえ、ある特定の概念を扱った文献を検索する場合、その概念を指示する件名標目を検索語として検索すれば、その概念を扱った文献を網羅的に検索することができる。すなわち、再現率の高い検索結果を得ることができる。

　国立国会図書館の件名標目は、『Web NDL Authorities　国立

国会図書館典拠データ検索・提供サービス』（https://id.ndl.go.jp/
auth/ndla　最終アクセス日：2022年10月23日）により、参照する
ことができる。図9に示したとおり、「登校拒否」という概念につい
ては、国立国会図書館の件名典拠データでは、「登校拒否」ではなく、
「不登校」という語が件名標目として選定されていることがわかる。
また、「いじめ」という概念については、「いじめ」が件名標目となっ
ていることがわかる。

不登校	
典拠種別	普通件名
同義語	登校拒否; 登校拒否児; 学校恐怖症ガッコウキョウフショウ; School phobia
上位語	問題行動
関連語	ひきこもり; 不就学児童; 保健室登校; 適応指導教室

いじめ	
典拠種別	普通件名
同義語	Bullying
上位語	問題行動
下位語	ネットいじめ
関連語	ハラスメント

図9　「不登校」と「いじめ」に関する国立国会図書館の件名典拠データ

　（出典：国立国会図書館. "Web NDL Authorities：「不登校」と「い
じめ」". https://id.ndl.go.jp/auth/ndlsh/00573200 （最終アクセ
ス日：2022年10月23日）より作成）

件名典拠データでは、各件名標目について、その上位語、下位語、関連語に該当する件名標目がある場合には、それらについても示されている。「不登校」という件名標目については、上位語として「問題行動」、関連語として「ひきこもり」をはじめとする四つの件名標目が設定されていることがわかる。そこで、件名標目を用いた検索語として「不登校」と「いじめ」を選定することになる。

　件名標目による検索が有効な場合として、タイトル中に当該資料の主題を的確に表現した語が使用されていない場合があげられる。たとえば、不登校を扱った図書であっても、タイトル中に「不登校」という語が使用されていない場合には、「不登校」という自由語を使って検索することはできない。しかし、件名標目による検索では、タイトル中にその語が出現していない図書でも、件名標目を使って検索することができるため、再現率の高い検索が可能となる。

　なお、今回、取り上げている質問Aについては、主題の条件に加えて、出版年の範囲を検索語として指定する必要がある。

1.3.4　検索式の作成

① 検索式の作成の実際

　検索戦略の構築の最終段階が【検索式の作成】である。検索式の作成の段階では、選定された検索語を使って質問の主題を表現する。質問Aのように、質問の主題が複数の概念から構成されている場合、それぞれの概念に対して選定された検索語を概念間の論理的な関係に基づき論理演算子によって結合する必要がある。こうして検索語を論理演算子によって結合されたものが検索式である。なお、質問の主題が単一概念であり、その概念を指示する検索語が一つの場合には、その検索語自体が検索式となる。

② 論理演算子

　質問の主題を構成する概念間の論理的な関係には、論理和、論理積、論理差がある。いま、αという概念（たとえば、不登校）を示す検索語をA、βという概念（たとえば、いじめ）を示す検索語をBとするとき、論理和、論理積、論理差が示す関係を図10をもちいて説明するとつぎのようになる。

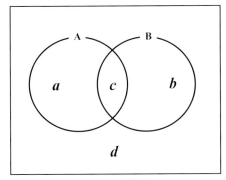

図10　文献集合

　ここで、外側の四角はある情報源（たとえば、NDL ONLINE）が収録している文献の全体集合を表している。そのうち、集合Aは検索語Aによって検索された文献、すなわち、αという概念を扱った文献の集合、集合Bは検索語Bによって検索された文献、すなわちβという概念を扱った文献の集合をそれぞれ表している。また、aの部分はαという概念を扱った文献のうちβという概念を扱っていない文献を、bの部分はβという概念を扱った文献のうちαという概念を扱っていない文献を、それぞれ表している。cの部分はαという概念とβという概念の両方の概念を扱った文献を、そしてdの部分はαという概念もβという概念も扱っていない文献をそれぞれ表している。

　論理的な関係には、論理和、論理積、論理差があり、順にOR、

AND、NOTという演算子が通常使用される。論理和とは、αという概念またはβという概念を扱った文献を取り出す操作に関わるものである。αまたはβを扱った文献は、（A　OR　B）という検索式によって表現され、その検索式の実行により、図10のa、b、cの部分の文献が検索される。この論理和演算子をもちいた検索式と文献集合との関係は以下のとおりとなる。

（A　OR　B）＝｛a, b, c｝

　論理積とは、αという概念とβという概念の両方の概念を扱った文献を取り出す操作に関わるものである。αとβの両方の概念を扱った文献主題は（A　AND　B）という検索式によって表現され、その検索式により、図10のcの部分の文献主題が検索される。この論理積演算子をもちいた検索式と検索される文献集合との関係は以下のとおりとなる。

（A　AND　B）＝｛c｝

　論理差とは、αという概念を扱った文献のうち、βという概念を扱った文献を除いた文献を取り出す操作に関わるものである。αという概念を扱った文献のうちβという概念を扱った文献を除いた文献は（A　NOT　B）という検索式によって表現され、その検索式により、図10のaの部分の文献が検索される。この論理差演算子をもちいた検索式と検索される文献集合との関係は以下のとおりとなる。

（A　NOT　B）＝｛a｝

　これらの論理演算子には、結合の優先順位があり、高い順に、論

理差、論理積、論理和となる。この優先順位を変える場合には、括弧（ ）を使用する。

③ 検索式の作成

そこで、上記の質問Aの主題について、選定された検索語と論理演算子を使って検索式を作成すると次のようになる。

```
件　　名：不登校 AND いじめ
```

質問Aでは、上記の検索式に、さらに以下のような出版年に関する条件を付加する必要がある（2022年10月現在）。

```
出版年：2020-2022
```

以上から、質問Aに対する検索式は以下のようになる。

```
件　　名：不登校 AND いじめ
　　　　　　AND
出 版 年：2020-2022
```

④ 自由語による検索式の作成

4.1　同義語の扱い

選択された情報源において、件名標目が検索語として使用できない情報源では、タイトルや抄録中のキーワードを自由語として使用し、検索式を作成する必要がある。タイトル中のキーワードは、著者がどのようなタイトルを付けているかに依存する。すなわち、不登校を扱った図書や雑誌記事について、ある著者はタイトルに「不

登校」という語を使用し、別の著者は「登校拒否」という語を使用している場合が考えられる。さらにいえば、不登校を扱った図書や雑誌記事であっても、タイトル中に「不登校」、「登校拒否」のいずれの語も使用していない図書や雑誌記事も考えられる。それゆえ、自由語を検索語として使用する場合には、質問を構成する主題概念を示した同義語や関連語を論理和で結合して指定する必要がある。

　質問Aについていえば、まず「不登校」という概念については、自由語として「登校拒否」と「不登校」、さらには国立国会図書館の件名標目として、「不登校」の関連語に指定されている「ひきこもり」も含めることができる。

　一方、「いじめ」という概念については、国立国会図書館の件名標目においては同義語の指定がないので、自由語として「いじめ」という単独の検索語を指定する。

4.2　トランケーションの使用

　自由語による検索の場合には、こうしたタイトルや抄録中に出現する語の多様性や表現のゆらぎに対処する検索語の指定方法として、トランケーションという方法を用いることが有効である。

　たとえば、「図書館」という文字列を含む検索語には、「図書館員」、「大学図書館」、「情報図書館学」など多くの語があげられる。これらの検索語を「図書館」という文字列の出現位置によって一括して指定する方式がトランケーションである。

　トランケーションの記号は、検索システムによって異なるが、NDL ONLINEでは、記号として半角のアスタリスク（*）が用いられる。文字列の後にアスタリスク（*）を付加した場合には、その文字列で始まる語を検索語として指定したことになる。この方式による検索を**前方一致検索**という。たとえば、「図書館員」や「図書館情報学」など、「図書館」で始まる検索語を指定したい場合には、「図

書館*」と指定することで、前方一致検索が可能となる。

　一方、文字列の前にアスタリスク（*）を付加すると、その文字列で終わる検索語を指定したことになる。この方式による検索を**後方一致検索**という。たとえば、「大学図書館」、「公共図書館」、「学校図書館」など、「図書館」で終わる検索語を指定したい場合には、「*図書館」とすることで、後方一致検索が可能となる。

　これらの方式に加えて、**中間一致検索**が可能な検索システムもある。この中間一致検索とは、指定した語を含む検索語として指定した検索をいう。たとえば、「*図書館*」というように、アスタリスク（*）を文字列の前後に置くことで、「学校図書館経営」や「大学図書館システム」など、「図書館」という語を含む検索語の指定が可能となる方式である（なお、NDL ONLINEには中間一致検索の機能はない）。

　自由語の選択にあたっては、先述のとおり、件名標目のデータが参考となる。国立国会図書館の件名標目では、「不登校」という件名標目の同義語として、「登校拒否」と「登校拒否児」が指定されている。そこで、自由語を検索語とする場合、「登校拒否」の後にアスタリスク(*)を付し、「登校拒否*」とすることによって、「登校拒否」で始まる検索語を指定し、前方一致検索が可能となる。すなわち、「登校拒否*」は「登校拒否」のみならず、「登校拒否児」も検索語として指定したことになる。また、「いじめ」という件名標目の下位語として「ネットいじめ」が指定されている。そこで、自由語として「いじめ」の前にアスタリスク（*）を付し、「*いじめ」とすることで、「ネットいじめ」も検索語として指定され、後方一致検索が可能となる。

　なお、このトランケーション機能は、件名標目にも使用できるので、件名標目について「図書館*」と指定すれば、「図書館」、「図書館資料」、「図書館経営」などの件名標目を同時に指定したことになる。

　トランケーション機能を使って検索語を指定した場合、自由語であれ、件名標目であれ、異なる検索語が論理和で結合されているこ

とになる。たとえば、「図書館*」という検索語は、「図書館」で始まる以下のような検索語を論理和で結合した検索式を指定したことになる。

　図書館* ＝（図書館 OR 図書館資料 OR 図書館経営　OR 図書館建築　OR 図書館法）

　質問Aについては、タイトルを検索項目とする以下のような検索式が作成される。

　タイトル：（登校拒否*　OR　不登校　OR　ひきこもり）　AND
　　　　　　　*いじめ

トランケーションをもちいてタイトルに「登校拒否*」と「*いじめ」指定したことにより、この検索式は、タイトル（図書については本タイトル、タイトル関連情報、シリーズ名、内容細目に記述された個々の著作のタイトル）中に、「登校拒否」で始まる語、「不登校」、「ひきこもり」のいずれかの語が出現し、かつ、「いじめ」という語で終わる語が出現する図書または雑誌記事を検索することができる。

　なお、論理演算子の結合の順序は、ANDとORの間では、ANDが優先されるため、ORでの結合を優先させるために「登校拒否*」という検索語の左側と「ひきこもり」という検索語の右側にそれぞれ括弧を挿入する必要がある。

　ところで、「不登校」という概念を示すために「ひきこもり」を検索語に加えた場合、たとえば、「大人のひきこもり」というタイトルをもつ資料も検索されることになる。「不登校」という概念は児童生徒を対象にしたものであるから、「大人のひきこもり」というタイトルの資料は、質問Aに対する検索結果としてはノイズとなる。それゆえ、上記の検索式は、検索結果の再現率を高めるが、精度を低下させる可能性があることに注意する必要がある。

1.4 参考文献

（1）石井保廣, 工藤邦彦. 情報検索演習：フリーサイトでスキルアップ. 第11版, 佐伯印刷, 2017.8, 170p. ISBN 978-4-905428-76-3.

（2）石原靖哲, 清水將吾. データベースと情報検索. 数理工学社, 2018.9, 156p., (グラフィック情報工学ライブラリ, GIE-11). ISBN 978-4-86481-057-9.

（3）伊藤民雄. インターネットで文献探索. 2022年版, 日本図書館協会, 2022.5, 207p, (JLA図書館実践シリーズ, 7). ISBN 978-4-8204-2201-3.

（4）入矢玲子. プロ司書の検索術：「本当に欲しかった情報」の見つけ方. 日外アソシエーツ, 2020.10, 250p., (図書館サポートフォーラムシリーズ). ISBN 978-4-8169-2851-2.

（5）大谷康晴, 齋藤泰則. 情報サービス演習. 新訂版, 日本図書館協会, 2020.11, 258p., (JLA図書館情報学テキストシリーズ, 3-7). ISBN 978-4-8204-2000-2.

（6）角谷和俊. Webで知る：Web情報検索入門. サイエンス社, 2020.4, 103p., (Computer and Web Sciences Library, 7). ISBN 978-4-7819-1475-6.

（7）金井喜一郎. 情報検索入門：情報の組織化と検索. 三恵社, 2017.2, 109p. ISBN 978-4-86487-630-8.

（8）小曽川真貴. 調べ物に役立つ図書館のデータベース. 勉誠社(制作), 2022.8, 200p., (ライブラリーぶっくす). ISBN 978-4-585-30006-9.

（9）高鍬裕樹. デジタル情報資源の検索: Digital Information Resources:Search and Retrieval. 増訂第5版, 京都図書館情報学研究会, 日本図書館協会 (発売), 2014.3, 94p., (KSPシリーズ, 18). ISBN 978-4-8204-1322-6.

（10）高野明彦編. 検索の新地平: 集める、探す、見つける、眺める. KADOKAWA, 2015.4, 250p., (角川インターネット講座, 08). ISBN 978-4-04-653888-8.

（11）中島玲子, 安形輝, 宮田洋輔. スキルアップ!情報検索: 基本と実践. 新訂第2版, 日外アソシエーツ, 2021.1, 185p. ISBN 978-4-8169-2862-8.

（12）永田武. データベースの基礎: Introduction to Database. 改訂版, コロナ社, 2021.7, 181p. ISBN 978-4-339-02919-2.

（13）富士通ラーニングメディア講師陣. 読めばわかる!情シス入門: 情報システムの基礎知識. 翔泳社, 2020.1, 107p., (SHOEISHA DIGITAL FIRST). ISBN 978-4-7981-6317-8.

第 2 部

Web 版検索演習解説

2.1　演習の準備

　この章では、検索演習システム（Webデータベース）を検索する方法について説明します。

　本書の画面例はWindows10または11を使って作成しています。お使いの機種またはOSによって、画面例、アイコン、キーボードの表示が異なることがあります。お使いの機種またはOSに応じて読み替えてください。

　本書に表記されている各社製品の名称は、それぞれの会社の商標または登録商標です。文中では特にTM、C、Rマークは明記していません。

　コンピュータに関する基本的な用語や操作方法については、すでにご理解済みのものとして説明を省略しています。

2.1.1　検索演習システム サインアップ（新規登録）

① サインアップ（新規登録）

（1）　https://jk-enshu.nichigai.co.jp/user/login　にアクセスしてください。

　　　※Webブラウザの「お気に入り」や「ショートカット」等に登録しておくと次回からのアクセスがスムーズになります。

（2）　「検索演習システムログイン」画面が表示されますので、「サインアップ（新規登録)」をクリックしてください（図11）。

図11　ログイン画面

（3）「メールアドレス」と書籍『Webで学ぶ情報検索の演習と
解説〈情報サービス演習〉』に記載されている「シリアルコード」
を入力し、「利用規約を読む」をクリックして規約の内容を確認
します（図12）。

図12　サインアップ画面

（4）「利用規約をすべて読み、同意します」にチェック後、「仮
登録」をクリックします。

（5）「仮登録が完了しました。メールをご確認ください。」と表
示されます（図13）。

　登録したメールアドレスに本登録についてのメールが送信され
ていますので、メールを確認してください。

※まれに本登録メールが「迷惑メール」扱いされることがあります。メールが届いていない場合、「迷惑メール」フォルダも確認してください。

図13　仮登録完了画面

（６）　「本登録のお願い（『Webで学ぶ情報検索の演習と解説〈情報サービス演習〉』）」という件名でメールが届きますので、メールに記載されているURLをクリックして本登録を完了させてください（図14）。

図14　「本登録のお願い」のメール画面

（７）　URLをクリックすると、「検索演習システム パスワード設定」の画面が表示されますので、任意のパスワードを入力して「送信」をクリックしてください。（図15）

検索演習システム パスワード設定

パスワード [必須]

パスワード（確認）[必須]

送信

図15　パスワード設定画面

（8）「アカウント登録完了」の画面が表示されます。これでサイ
ンアップ(新規登録)は完了です（図16）。「ログイン画面へ」を
クリックしてください。

検索演習システム パスワード設定

アカウント登録完了

アカウント ●●●●●@gmail.com が登録されました。
「ログイン」画面よりご利用ください。

尚、登録されたメールアドレスは変更できませんのでご注意ください。また、システムメンテナンスな
どのご連絡もこちらのメールアドレスにさせていただく場合がございます。あらかじめご了承下さい。

図16　アカウント登録終了画面

②パスワードを忘れた場合

（1）「検索演習システムログイン」画面で、「パスワードを忘れた
方はこちら」をクリックしてください。

（2）「検索演習システム パスワード・リセット」の画面が表示さ
れますので、登録したメールアドレスを入力して「送信」をクリッ
クしてください（図17）。

検索演習システム パスワード・リセット

メールアドレス

送信

図17　パスワード・リセット画面

（3）「パスワード再設定用のメールを送付しました。」の画面が表示されます（図18）。登録したメールアドレスにパスワードの再設定についてのメールが送信されていますので、メールを確認してください。

検索演習システム パスワード・リセット

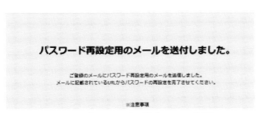

図18　パスワード再設定メール送信画面

（4）　パスワード再設定（『Webで学ぶ情報検索の演習と解説〈情報サービス演習〉』）という件名でメールが届きますので、メールに記載されているURLをクリックしてください。

（5）　URLをクリックすると、「検索演習システム パスワード設定」の画面が表示されますので、任意のパスワードを入力して「送信」をクリックしてください。

（6）「パスワード変更完了」の画面が表示され、パスワードの再登録は完了（図19）です。

検索演習システム パスワード設定

図19　パスワード変更完了画面

2.1.2　検索演習システムの機能説明

　検索を始める前に、この演習で使用する検索演習システムの共通する操作について説明をします。

①基本的な操作方法について

（1）　https://jk-enshu.nichigai.co.jp/user/login　にアクセスしてください。

（2）　「検索演習システムログイン」画面が表示されますので、「サインアップ(新規登録)」が済んでいる場合には、「メールアドレス」と「パスワード」を入力して、「ログイン」をクリックします（図20）。

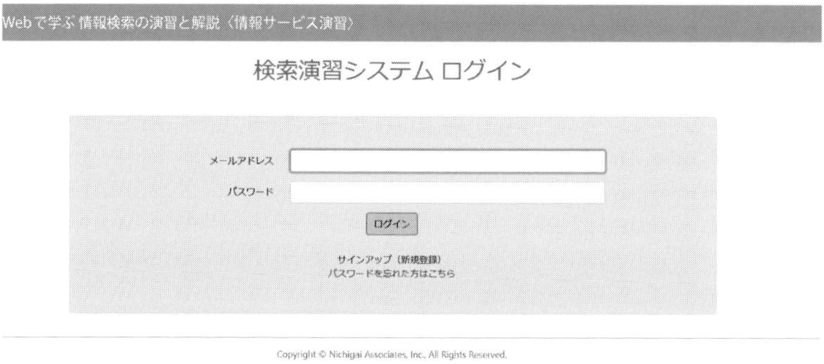

図20　「検索演習システムログイン」画面

（3）検索画面が表示されます（図21）。デフォルトでは「人物略歴情報」が表示されていますので、検索したいデータベース名をクリックして選択してください。

（4）検索画面では、検索したい条件の項目にカーソルを合わせ、検索語を入力します。検索画面の検索語を消去するときは「クリア」をクリックします。

図21　検索画面

（5）検索語を入力後に「検索」をクリックするか、Enterキーを
　　押すと検索が始まり、一覧表示画面が表示されます。検索画面
　　に戻るときは「戻る」をクリックします（図22）。

※一覧表示は「人物略歴情報」は生年月日順、「雑誌記事情報」は
　刊行月順、「図書内容情報」は刊行年月順、「新聞記事原報」は
　掲載日順に結果が表示されます。ソート機能は搭載していない
　ため50音順等の並べ替え等はできません。

※JIS X 0208に含まれていない漢字（第3水準、第4水準）等の文
　字列は「〓」で表示されます。

　例）濹東綺譚　→　〓東綺譚

図22　一覧表示画面

（6）一覧表示画面中の見たいデータをクリックすると、詳細表示
　　画面が別タブで表示されます（図23）。画面を閉じる際は、タ
　　ブの「×」をクリックします。

図23　詳細表示画面

（7）検索演習システムを終了する場合には、検索画面または一覧画面の右上にある 「ログアウト」をクリックしてください。「検索演習システムログイン」に戻りますので、タブの「×」をクリックすると終了になります。

② 検索方法について

検索演習システムには、様々な検索方法が用意されています。

■論理演算子

・論理演算子は「AND」・「OR」・「NOT」の3種類があります。

・「AND」は検索語句の全てが同時に充たされるものを検索します。

・「OR」は検索語句の内のいずれか、または全てが充たされるものを検索します。

・「NOT」はその検索語句を含まないものを検索します。

・プルダウンの「AND」と「OR」は「AND」から優先して結合されます。

　　例えば、人物略歴情報でアイドルグループ「AKB」の「大島」さんと「前田」さんについて検索したい場合には下記のように、同一フィールド内に「大島 OR 前田」と入力をします（図24）。

図24　AKBの大島さんと前田さんを検索する際の入力例

もし、下記のようにプルダウンのみで検索をしてしまうと、プルダウンではANDが優先されますので、「（AKB AND 大島） OR　前田」という検索になってしまい、大島さんはアイドルグループAKBだけに限定して検索されますが、「前田」さんはAKBだけでなく、作家やスポーツ選手などの「前田」さんも検

索されてしまいますので、注意が必要です（図25）。

図25　AKBの大島さんと前田さんを検索する際の間違った入力例

・フィールド内の論理演算子は大文字、小文字のどちらにも対応
　しています。ただし、半角入力のみ有効です。全角入力は無効
　になります。
・演算子の前後に半角のスペースを空けてください。
・同一フィールド内での論理演算子はANDかORの、どちらかの
　みしか入力できません（混合はできません）。
例）〇 信長 OR 秀吉 OR 家康　　× 信長 OR 秀吉 AND 家康
※ 例えば、「信長と家康」が登場する図書または「秀吉と家康」
　が登場する図書を検索したい場合には下記のように2つのフィー
　ルドを使用してください（図26）。

図26　2つのフィールドを使用した検索例

・第1部1.3.4で説明されている（　）を用いて検索式内で優先し
　て結合される論理演算子を指定する方法は、利用できません。
※例えば、「家康」または「秀吉」に関係する「城」または「砦」
　についての図書を探す場合には、最初のフィールドに「家康

OR 秀吉」と入力し、次の段の演算子のプルダウンをANDに選
択し、フィールドに「城 OR 砦」と入力をしてください（図27）。

図27　プルダウンを使用した検索例

■トランケーション
・第1部1.3.4で説明されているトランケーションですが、「検索演
　習システム」では、文字入力するフィールドは、文字列の部分
　一致のみ検索をする仕様となっており、トランケーション（前
　方一致・後方一致・中間一致・完全一致）の指定ができません。
・数値入力するISBNや本体価などのフィールドは完全一致検索に
　なります。
・刊行年月日などのフィールドは前方一致検索になります。人物
　略歴情報の生年月日は月や月日だけの検索もできます。詳細に
　ついては後述する各データベースの説明を確認してください。

■範囲指定検索
・出版年・定価・生年月日など数値を使って検索をする場合、そ
　の範囲を指定することができます。
・指定には、等号（＝）、不等号（＜＞）を組み合わせて、以下の
　4つの記号が使用できます。
　　　大なり　＞　　　　　　小なり　＜
　　　大なりイコール　＞＝　　小なりイコール　＜＝
　　入力は半角入力になります。
　　記号と数値の間は半角スペースを空けてください。

例）　定価が1,500円以上の図書　　　　　　 ＞＝ 1500

　　　定価が2,000円未満の図書　　　　　　　 ＜ 2000

　　　定価が3,000円〜5,000円の図書　　　　 ＞＝ 3000

　　　　　　　　　　　　　　　　AND　＜＝ 5000

　　最後の例の場合、2つのフィールドを使い、プルダウンの
ANDでつなぎます。

2.2 演習の実際

　「検索演習システム」に収録されているデータベースは「人物略歴情報」「雑誌記事情報」「図書内容情報」「新聞記事原報」の4種類です。データベースごとの基本的な操作方法を具体的に説明していきますので、検索方法を理解したら、次は実際にPCを使って練習問題に挑戦してみましょう。

2.2.1　人物略歴情報

　人物・人材情報データベース「WhoPlus」(日外アソシエーツ)から、現在活躍中の俳優・歌手・タレントなど11,863人を収録しています。物故者は収録していません。また、引退した人も一部を除き収録していません。

　検索項目は「キーワード(経歴)」「姓名」「職業・肩書」「出身地」「生年月日」「学歴」の6種類です(図28)。このうち「姓名」については、読み検索も可能です(ひらがなまたは全角カタカナで入力)。

図28　人物略歴情報検索画面

①検索方法

「キーワード（経歴）」で探す

詳細画面の「経歴」をはじめ、「グループ名」「受賞名」などの欄に書かれている主要な語句から検索できます。

また、「趣味・特技」の項目もヒットさせることができます。例えば、「手品」で検索すると「趣味・特技」に手品と書かれている元フジテレビアナウンサーの牧原俊幸がヒットします。しかし、草なぎ剛（データベースでは「草⚋剛」として収録）の「趣味・特技」として書かれている「ビンテージジーンズ収集」はヒットしません。

経歴欄などに登場する全ての語句がキーワードとして登録されているわけではないので、使いこなすにはある程度の慣れと工夫が要るかもしれません。

【例】東京マラソンに出場したことのある人物を探してみましょう。

　　　検索項目の「キーワード（経歴）」に「東京マラソン」と入力し、検索ボタンをクリックするか、Enterキーを押します。一覧表示画面に結果が表示されます。

「姓名」で探す

入力した文字列を姓名に含む人を検索します。一部分しかわからなくても構いません。ただし、姓と名の2つの部分からなっている人（本名でなくても同じ構造の名前を持つ場合を含む）を検索する場合は、姓と名の間にはスペースを入れてください（全角でも半角でもかまいません）。

【例】「松田聖子」を探してみましょう。

　　　検索項目の「姓名」に「松田　聖子」と入力します。姓と名の間にスペースが入ります。間にスペースのない「松田聖子」では検索されないので注意してください。次に、検索ボタンをクリックするかEnterキーを押します。一覧表示画面に結果

が表示されます。「松田」だけだと、他に松田優作など「松田」の2文字を含む人もヒットします。

　漢字表記が不明な場合（あるいは漢字表記を問わない場合）は、読みを「ひらがな」や「全角カタカナ」で入力してください。この場合にも姓と名の間にスペースが必要です。

　例）「イトウ」と入力した場合は、「伊藤」「伊東」「斎藤」「さいとう」などが該当します。

「職業・肩書」で探す

　「歌手」で検索すると、部分一致ですので「ジャズ歌手」などもヒットします。モレなく検索する場合には、ノイズも入りますが、「シンガーソングライター」や「ミュージシャン」などの類義語をORでつないで検索すると網羅的に探せます。

【例】「バレリーナ」という職業で検索をしてみましょう。

　　　検索項目の「職業・肩書」に「バレリーナ」と入力し、検索ボタンをクリックするか、Enterキーを押します。一覧表示画面に結果が表示され、「元・バレリーナ」も含めて検索されます。また、類義語の「バレエダンサー」をORでつないで検索すると、女性だけでなく男性でバレエをする人物も検索され、より網羅的に検索できます。

★「CD-ROMで学ぶ　情報検索の演習　新訂4版」をお持ちの方へ：新訂4版では「どのような職業が入っているか」を一覧するブラウズ機能がありましたが、この版ではなくなりましたので、ある程度試行錯誤が必要かもしれません（これはほかのフィールドやほかのデータベースについてもいえます）。

「出身地」で探す

国内出身の人については、基本的には都道府県名で検索します。

ただし人物によっては市区町村名まで記述されている人もいますので、その場合は市区町村でも検索が可能です。

　例）　新宿区

　海外出身の場合は国名を入力します。ただし、アメリカ合衆国・イギリスはそれぞれ、米国・英国という略称でデータが表記されていますので、たとえばアメリカ合衆国の出身者を調べる場合には「アメリカ合衆国」や「アメリカ」ではなく「米国」と入力してください。「中国」「韓国」も略称で入っています。また、こちらも一部ですが、都市名でも検索が可能です。

　例）ロンドン

　【例】「岩手県」出身の人物を探してみましょう。

　　　検索項目の「出身地」に「岩手県」と入力し、検索ボタンをクリックするか、Enterキーを押します。一覧表示画面に結果が表示されます。

「生年月日」で探す

　西暦の年月日で検索をします。「YYYY-MM-DD」のフォーマットで入力してください。数字と「-」（ハイフン）は半角です。数字の前後にスペースは不要です。

　年を特定せず「ある月日に生まれた人」という検索や、逆に月日を特定せず「ある年に生まれた人」という検索も可能です。入力方法は下記の例を見てください。

　範囲指定の検索もできます。その場合は、記号と数字の間にスペースを入れてください。数字、不等号、等号、スペースのいずれも半角でないとヒットしません（エラーにはならず0件になる）。

　なお、このデータベースでは、生年月日は西暦を使っていますが、経歴の記述では元号を使っていますのでご注意ください。

　例）1993年1月15日の人物を探す場合　　　　　　1993-01-15

　　（「93-01-15」ではヒットしません）

　　1月15日生まれの人物を探す場合　　　　　　　　01-15

　　（「1-15」ではヒットしません）

　　2000年に生まれた人物を探す場合　　　　　　　　2000

　　1990年代に生まれた人物を探す場合　　>= 1990

　　　　　　　　　　　　　　　　　　AND　<= 1999-12-31

　※最後の例の場合、プルダウンのANDを指定して2行使います。また、生年だけで月日がない人物も含めて探すためには、「>= 1990-01-01」とするとモレてしまいますので「>= 1990」となります。（内部の処理で1990は 19900101より小さいという処理がされるため。内部データの大小関係は、1989-12-31　→　1990　→　1990-01-01　→　1990-01-02　の順になっています）

　【例】1988年6月11日生まれの人物を探してみましょう。

　　　検索項目の「生年月日」に「1988-06-11」と入力をします。数字も「-」（ハイフン）も半角で入力をします。次に、検索ボタンをクリックするかEnterキーを押します。

「学歴」で探す

　出身校などの学歴で検索できます。ただし、詳細画面で学歴の欄がある人物のみヒットします。

　例）「立教」と入力すると、立教大学だけでなく、立教女学院短期大学、立教女学院高等部、立教高　などもヒットします。

　【例】関東学院大学出身の人物を探してみましょう。

　　　検索項目の「学歴」に「関東学院大学」と入力し、検索ボタンをクリックするか、Enterキーを押します。また、「関東学院」だけ入力した場合には「関東学院女子短期大学」出身の人物も含めて検索されます。

②練習問題

1. NHK朝の連続テレビ小説「あまちゃん」のヒロインを務めた女優は誰か。本名と生年月日も調べなさい。

2. 日向坂46のメンバーで埼玉県出身の人には誰がいるか調べなさい。

3. 神奈川県出身で1960年代生まれの歌手には誰がいるか調べなさい。

4. 下の名前が「智子」（読み方は問わない）という女優にはどんな人がいるか調べなさい。

5. 日本アカデミー賞で新人俳優賞を受賞した、昭和50年代生まれの女優には誰がいるか。作品名とあわせて調べなさい。

6. シンガー・ソングライターの平井堅さんと同じ誕生日で戦後生まれの歌手やタレントにはどのような人が調べなさい（氏名、生年月日、肩書きを答えなさい）。

7. 自分と同じ誕生日（年は違っても可）の芸能人には誰がいるか調べなさい。もし誰もいなかった場合は、その前後の日付について検索しなさい。

8. 毎年夏になると、ビクターが全国高校野球選手権大会に出場する選手を応援するポスターを駅などに張り出していたが、これに起用されていた女性アイドルには誰がいるか調べなさい。

9. この人物データベースに収められている生年月日が判明している人のうち、最も年が上の人及び最も若い人をそれぞれ探しなさい。

10. クイズ番組の司会をしたことのあるタレントや女優について調べなさい。

11. NHKの大河ドラマに出演した女優のうち、出身地が東京都と大阪府以外で、年齢が2023年4月1日現在30代の人は誰がいるか調べなさい。

12.「いきものがかり」のメンバーの名前、読み方、生年月日を調べなさい。

13. 早稲田大学を中退した人でNHKのドラマに出たことがある俳優や女優には誰がいるか探しなさい。それぞれ何のドラマに出演したかも調べなさい。

14. 指揮者で作曲者でもある大学教員には誰がいるか調べなさい。

15.「万引き家族」でブルーリボン賞助演女優賞を受賞した俳優は誰か調べなさい。また、この作品は国際的な賞を受賞していたと思うが、その賞の名前と監督名も調べなさい。

2.2.2　雑誌記事情報

　雑誌記事・論文情報データベース「MagazinePlus」（日外アソシエーツ）から、2018年1月〜2021年12月に発表された"日本語"と"日本文学"に関する雑誌記事31,784件を収録しています。

　検索項目は「キーワード」「論題名」「著者名」「雑誌名」「ISSN」「刊行年月」「出版社」の７項目です（図29）。「キーワード」「論題名」「著者名」「雑誌名」については、読み（全角ひらがな／カタカナ）での検索も可能です。

図29　雑誌記事情報検索画面

①検索方法
　「キーワード」で探す

　雑誌記事情報全体の31,784件中、2,915件のデータにキーワードが付与されています。このキーワードがある2,915件のデータの中から検索をしますので、全体的にはモレが多くなります。読み（全角ひらがな／カタカナ）での検索も可能です。

　「太宰」がキーワードとなっている雑誌記事を探す場合には、キーワードに「太宰」と入力すると7件ヒットします。「読み」での検索もできますので、キーワードに「ダザイ」と入力すると11件ヒットします。漢字で入力するよりヒット件数が増えているのは「サセテクダサイ」などのノイズもヒットするためです。ちなみに論題名で「太宰」と検索すると81件ヒットします。

　【例】キーワードに「会話」を含む記事を探してみましょう。

　　　　検索項目の「論題名」に漢字で「会話」と入力します。次に検索ボタンをクリックするか、Enterキーを押してください。一覧表示画面に結果が表示されます。

　　　　読み（全角ひらがな／カタカナ）での検索も可能なのでカナで「カイワ」と入力してもヒットします。件数が若干増えますが「ツカイワケ」などのノイズが交じります。

「論題名」で探す

　読み（全角ひらがな／カタカナ）での検索もできます。

　「太宰治」に関する雑誌記事を検索する場合は、論題名で「太宰」と検索すると81件ヒットしますが、「ダザイ」だと122件まで増えます。しかし、論題名が「ごめんください」といったノイズも交じります。また、フルネームで「太宰治」と入力して検索すると76件ヒットしますが、「太宰」よりも若干ですがモレがでます。このように、第三者が書いた文学者の作品論や人物論を探す場合には、文学者の名前を入力しますが「姓」だけ、あるいは「名」だけが出ている場合があるので注意が必要です。

　【例】論題名に「徒然草」を含む記事を探してみましょう。

　　　　検索項目の「論題名」に漢字で「徒然草」と入力します。次に検索ボタンをクリックするか、Enterキーを押してください。一覧表示画面に結果が表示されます。

「著者名」で探す

姓と名の間にスペースが必要です。スペースがないとヒットしません。スペースは全角・半角のどちらでも結構です。

読み（全角ひらがな／カタカナ）での検索もできます。この場合にも姓と名の間にスペースが必要です。漢字の著者名の場合、漢字が不明ならカタカナまたは平仮名での検索もできます。例えば「渡辺」「渡邊」「渡部」など異表記が多い場合には「ワタナベ」で検索することで網羅的にヒットさせることができます。

【例】「ドナルド　キーン」が書いた記事を探してみましょう。

　　　検索項目の「著者名」にカタカナで「ドナルド　キーン」と入力します。次に検索ボタンをクリックするか、Enterキーを押してください。「ドナルド」「キーン」のみでの検索も可能です。

「雑誌名」で探す

記事が掲載された「雑誌名」から検索をします。雑誌名の一部分に限られますが読み（全角ひらがな／カタカナ）での検索もできます。「コクブンガク」と入力すると「国文学」以外にも「國文學」といった旧漢字の雑誌名もヒットさせることができます。

【例】『日本近代文学』という雑誌に掲載された記事を探してみましょう。

　　　検索項目の「雑誌名」に「日本近代文学」と入力します。次に検索ボタンをクリックするか、Enterキーを押してください。雑誌名の一部を入力して検索することもできます。例えば、「近代文学」と入力します。雑誌名の読みの一部分からの検索も可能ですので、「にほん」AND「きんだい」AND「ぶんがく」でも検索できます。

「ISSN」で探す

「雑誌名」で探す代わりに、その雑誌の識別コードであるISSN（International Standard Serial Number：国際標準逐次刊行物番号）での検索もできます。数字は全角／半角いずれでもかまいません。

【例】ISSNが「1342-5633」の雑誌を探してみましょう。

　　　検索項目の「ISSN」に「13425633」と入力します。次に検索ボタンをクリックするか、Enterキーを押してください。ISSNは4桁の数字、「-」（ハイフン）、4桁の数字で構成されていますが、数字8桁を「-」（ハイフン）を除いて入力します。全角／半角いずれも検索可能です。この例の検索結果は、『短歌研究』となります。

「刊行年月」で探す

　特定の年月に刊行された記事を探すことができます。「YYYY-MM」のフォーマットで入力してください。数字は全角／半角いずれでもかまいません。「-」（ハイフン）は半角です。数字の前後にスペースは不要です。

　収録データの範囲が2018年1月～2021年12月になります。等号（＝）、不等号（＜＞）などによる検索範囲の指定も可能です。等号（＝）、不等号（＜＞）と刊行年月の間のスペースは必ず半角にします。

　刊行年月はどの年でもよいので2月号のみ探したいといった月だけの指定はできません。

　例）2021年2月に刊行された雑誌記事を探す　　　　2021-02
　　　2020年に刊行された雑誌記事を探す　　　　　　2020
　　　2020年1月から2021年2月までに刊行された雑誌記事を探す
　　　　　　　　　　　　　　　　　＞＝　2020
　　　　　　　　　AND　　＜＝　2021-02

※最後の例の場合、プルダウンのANDを指定して2行使います。

※刊行年だけで月がない雑誌記事を探すためには、「2020-01」と入力するとモレが出てしまいますので「＞＝ 2020」とします（内部の処理で2020は 2020-01より小さいという処理がされるため）。

【例】2020年2月に刊行された『俳句』には、どんな記事が掲載されていたかを確認してみましょう。

　検索項目の「刊行年月」に「2020-02」と入力します。「雑誌名」には「俳句」と入力してAND演算の検索をします。二つの項目を入力したら、検索ボタンをクリックするか、Enterキーを押してください。

「出版社」で探す

雑誌を刊行する「出版社」から検索することができます。

【例】「筑波大学」が出版社である記事を探してみましょう。

　検索項目の「出版社」に「筑波大学」と入力をしたら、次に検索ボタンをクリックするか、Enterキーを押してください。「筑波大学日本語日本文学会」が出版する「日本語と日本文学」と、「筑波大学大学院博士課程人文社会系日本語学研究室」が出版する「筑波日本語研究」に収録された記事が65件ヒットします。

②練習問題

1．論題名に「増鏡」を含む記事を調べなさい。

2．論題名に「小林一茶」と「松尾芭蕉」を含む記事を調べなさい。

3．雑誌『中世文学』に掲載された、「世阿弥」に関する記事を調べなさい。

4．「鴨長明」と「和歌」について記された記事が掲載された雑誌を調べなさい。

5．鰤（ぶり）の成長段階名に関する記事を調べなさい。

6．2019年に『中世文学』に掲載された記事を全て調べなさい。

7．2020年6月の『文藝と批評』に掲載された、推理小説に関する記事を調べなさい。

8．「池澤夏樹」と「角田光代」と「江國香織」が参加している鼎談（ていだん）の記事を調べなさい。

9．「司馬遼太郎」に関する記事で、「この国のかたち」以外のものを調べなさい。

10．「渡辺誠一郎」が執筆した記事で、『俳句』以外に掲載されたものを調べなさい。

11．長岡の方言である「こて」について書かれた記事を調べなさい。

12．『物語研究』に掲載された、「源氏物語」に関連した図書の書評を調べなさい。

13．「明治書院」から出版された雑誌に掲載された、「夏目漱石」に関する記事を調べなさい。

14．2021年以降に掲載された、国語の教材に関する記事を調べなさい。

15．ISSN「0389-8636」の雑誌に掲載された、「能」に関する記事を調べなさい。

2.2.3　図書内容情報

　図書情報データベース「BookPlus」（トーハン、日本出版販売、紀伊國屋書店、日外アソシエーツ）から、2016年〜2021年に出版された“日本史”に関係のある図書8,831点を収録しています。なお地方出版社の図書については、2015年以前の出版年の図書が一部含まれています。

　検索項目は「キーワード（要旨・内容・人名）」「書名」「シリーズ名」「著者名」「出版社名」「刊行年月日」「本体価（定価）」「ISBN」の8項目です。このうち数値で入力するフィールドのうち「本体価（定価）」「ISBN」は完全一致検索となり、「刊行年月日」は前方一致となります。他の検索項目はすべて文字列の部分一致で検索をします（図30）。

　なお「書名」については、読み（全角ひらがな／カタカナ）での検索も可能です。その他の項目では読みでの検索はできません。

図30　図書内容情報検索画面

①検索方法

「キーワード（要旨・内容・人名）」で探す

　図書の要旨や内容（目次）、登場する人物名などから幅広く検索できます。図書のタイトルや著者名といった書誌事項ではなく、内容面から検索したいときに使用します。読みでの検索はできません。

　人物名で検索する際、姓と名の間のスペースは不要です。「織田信長」「豊臣秀吉」「徳川家康」のように入力してください。

　ただ「坂本龍馬」と「坂本竜馬」のように表記が統一されていない人物もいます。その際はOR検索をするとモレなく検索ができます。ORは半角入力であれば、大文字、小文字いずれでも結構です。検索語句とORの間に必ず半角スペースを入れます。

　例）　坂本龍馬 OR 坂本竜馬

　また人物名はフルネームで記載されていない場合も多いので、「姓＋名」だけではなく「名」も含めてOR検索を行うとより多くの図書が検索できます。例えば「藤原道長」の図書を検索するときには下記のように入力します。

　例）　藤原道長 OR 道長

　【例】沖縄史の時代区分である「グスク時代」で検索してみましょう。

　　　検索項目の「キーワード（要旨・内容・人名）」に「グスク時代」と入力して検索ボタンをクリックするか、Enterキーを押してください。「グスク時代」という言葉が要旨、内容（目次）に含まれている図書がヒットします。

「書名」で探す

　書名の全部または一部が判明している場合に使用します。読み（全角ひらがな／カタカナ）でも検索できます。

　正式な書名を覚えていなくとも、断片的にでも把握していれば

AND検索を行って検索することができます。例えば「北海道」「戦国史」まで思い出せれば、次のように入力すると該当書にたどり着けます。ANDは半角入力であれば、大文字、小文字いずれでも結構です。検索語句とANDの間に必ず半角スペースを入れます。

例）　北海道 AND 戦国史

【例】「北海道戦国史と松前氏」という本を検索してみましょう。

　　　検索項目「書名」に「北海道戦国史と松前氏」または「ほっかいどうせんごくしとまつまえし」あるいは「ホッカイドウセンゴクシトマツマエシ」と入力します。次に検索ボタンをクリックするかEnterキーを押すと該当書がヒットします。

「シリーズ名」で探す

シリーズ名で検索できます。読みでの検索はできません。

【例】「文春学藝ライブラリー」というシリーズ名で検索してみましょう。

　　　これは文藝春秋が発行している文庫版の学術書のシリーズです。検索項目「シリーズ名」に「文春学藝ライブラリー」と入力し検索ボタンをクリックするかEnterキーを押すと検索できます。なお、漢字は正確に入力する必要がありますので、「文春学藝ライブラリー」の「藝」を当用漢字「芸」に置き換えての検索はできません。

「著者名」で探す

著者名や編者名でも検索できます。姓と名の間に斜線（／）を入力してください。またサイトウなど異表記が多い姓はORで繋いで検索モレを少なくする工夫が必要です。斜線（／）は全角、半角のどちらでも結構です。ORは半角入力であれば、大文字、小文字どちらでも結構です。検索語句とORの間に必ず半角スペースを入れます。

例）　斎藤 OR 斉藤 OR 齋藤 OR 齊藤

　なお、西洋人名の場合は「名＋姓」の順番で通常は表記されますが、検索する場合には「姓＋名」に改め、さらに名と姓の間にカンマ（,）を入れます。カンマ（,）は全角、半角どちらでも結構です。

　　例）　ロバート・ウィルコックス　⇒　ウィルコックス，ロバート

【例】「呉座勇一」が書いた本を検索してみましょう。

　　検索項目「著者名」に「呉座／勇一」と入力し、検索ボタンをクリックするかEnterキーを押してください。

「出版社」で探す

　出版社名や発売元名でも検索できます。検索項目「出版社名」に、「株式会社」「一般社団法人」などの法人組織名を省いて入力してください。読みでの入力はできません。

【例】「戎光祥出版株式会社」から発行されている本を探してみましょう。

　　検索項目「出版社名」に「戎光祥出版」と入力し、検索ボタンをクリックするかEnterキーを押します。

【例】「講談社」から発売されている図書を探してみましょう。

　　検索項目「出版社名」に「講談社 AND 発売」と入力し、検索ボタンをクリックするかEnterキーを押します。そうすると講談社から発売された図書のみがヒットします。ANDは半角入力であれば、大文字、小文字いずれでも結構です。検索語句とANDの間に必ず半角スペースを入れます。

「刊行年月日」で探す

　「YYYY-MM-DD」のフォーマットになっており、「年」は数字4桁（西暦）で、「月」「日」はそれぞれ数字2桁で入力します。数字は全角でも半角でも結構です。「年」「月」「日」それぞれの間に「-」（ハ

イフン）を入力してください。なお「-」（ハイフン）は半角にし、「-」（ハイフン）と数字の間のスペースは不要です。

前方一致で検索されますので、年だけ、年月だけの検索も可能です。

例）2021年に刊行された図書を探す　　　　　2021

例）2019年2月に刊行された図書を探す　　　2019-02

また、等号（＝）、不等号（＜＞）などによる検索範囲の指定も可能です。等号（＝）、不等号（＜＞）と刊行年月日の間のスペースは必ず半角にします。

例）　2020年11月1日以降に刊行された図書を探す

　　　＞＝ 2020-11-01

【例】2021年1月1日に刊行された図書を検索してみましょう。

　　　検索項目「刊行年月日」に「2021-01-01」と入力し、検索ボタンをクリックするかEnterキーを押します。そうすると2021年1月1日に刊行された図書がヒットします。

「本体価（定価)」で探す

本体価（定価）で検索できます。数字は半角でも全角でもかまいません。

また、等号（＝）、不等号（＜＞）などによる検索範囲の指定も可能です。等号（＝）、不等号（＜＞）と本体価（定価）の間のスペースは必ず半角にします。

例）定価1,500円未満の図書を探す　　　　　　　＜ 1500

　　　定価1,500円以上、2,000円以下の図書を探す　＞＝ 1500

　　　　　　　　　　　　　　　　　　　　AND　＜＝ 2000

※最後の例の場合、プルダウンのANDを設定して2行使います。

【例】定価が10,000円の図書を探しましょう。

　　　検索項目「本体価（定価）」に「10000」または「１００００」と入力し、検索ボタンをクリックするかEnterキーを押しま

　しょう。

「ISBN」で探す

　ISBN（国際標準図書番号 International Standard Book Number）
で検索できます。ISBN全13桁の数字を入力しましょう。全角、半角
どちらでもかまいません。「 - 」（ハイフン）の入力は不要です。

　【例】ISBNが「978-4-1210-2601-9」の図書を探してみましょう。

　　　　検索項目「ISBN」に「 - 」（ハイフン）を省いて「9784121026019」
　　　　と入力し、検索ボタンをクリックするかEnterキーを押します。

②練習問題

1. アーネスト・サトウが著した図書を探しなさい。

2. 黒田基樹が著（編）者の北条氏に関する図書を探しなさい。

3. 2020年から2021年にかけて発売された大河ドラマ「鎌倉殿の13人」の関連図書を探しなさい。

4. 聖徳太子虚構（非実在）説に関する図書を探しなさい。

5. 文庫で鎖国に関する図書を調べなさい。ただし定価は800円未満で抑えたい。

6. 講談社が発売元の新書で、戦国時代の内容の図書を調べなさい。

7. 満州事変と日中戦争を扱った図書を探しなさい。ただし盧溝橋事件は除く。

8. 藤原道長を除く藤原氏が主題の図書を新書以外で探しなさい。

9. 古田武彦か安本美典の本で、邪馬台国の図書を探しなさい。

10. 奈良時代に起こった戦争に関する図書を探しなさい。

11. 平成30年4月1日以前に発売された明治維新に関する図書を探しなさい。

12. 2,000円以下で、江戸時代の函館について書かれた図書を探しなさい。

13. 太平洋戦争を扱った図書で、1,000円以上2,000円以下のものを探しなさい。

14. 岩波書店で刊行している文庫で、江戸時代を扱っている図書を探しなさい。

15. 平山優か丸島和洋か黒田基樹が著者（編者なども含む）で、定価が1,000円以上の武田氏か真田氏を主題とする図書を探しなさい。ただし武田信玄と真田幸村は除く。

2.2.4 新聞記事原報

　「毎日新聞」全文記事テキストデータベースから、2021年1年分の1面記事と社会面記事、合計14,353件を収録しています。

　検索項目は「フリーワード」「掲載日」「朝刊・夕刊」の3項目です。「フリーワード」と「掲載日」はフィールドに検索語を入力するもので、「朝刊・夕刊」は「指定なし」「朝刊」「夕刊」から1つを選択するものです（図31）。

　※読み（全角ひらがな／カタカナ）での検索はできません。

　※写真や図などの画像データは含まれていません。

　※著作権の関係により、一部見出しのみで記事本文が収録されていない場合があります。

図31　新聞記事原報の検索画面

①検索方法

「フリーワード」で探す

新聞記事の見出しや本文で使用されている言葉を検索します。

【例】「オリンピック」という言葉が出てくる記事を探してみましょう。

　　検索項目「フリーワード」に「オリンピック」と入力します。入力が終わったら検索ボタンをクリックするか、Enterキーを押すと、該当する記事の一覧が表示されます。このなかから見たい記事の見出しをクリックすると、記事の全文が表示されます。

　　オリンピックの同義語の「五輪」を加えて「オリンピック OR 五輪」で検索するとより網羅的に検索できます。

「掲載年月日」で探す

【例】2021年1月1日の記事を探してみましょう。

　　「YYYY-MM-DD」のフォーマットになっています。「-」（ハイフン）は半角です。検索項目「掲載日」に「2021-01-01」と入力します。入力が終わったら検索ボタンをクリックするか、Enterキーを押すと、該当する記事の一覧が表示されます。なお、数字を全角（２０２１-０１-０１）にしても検索は可能です。

　　本データベースは2021年の記事のみを収録しています。この項目を使って検索する場合、必ず「2021」または「２０２１」から入力してください。「キーワード」に検索語を入力し、ここに何も入力しない場合、2021年の記事すべてが検索の対象になります。

　　等号（＝）、不等号（＜＞）などによる検索範囲の指定も可能です。等号（＝）、不等号（＜＞）と刊行年月日の間のスペー

スは必ず半角にします。

例）　2021年11月1日から2021年11月30日までの記事を探す
場合には、下記のようにプルダウンのANDを指定して2行で
入力します。

>= 2021-11-01

AND　　<= 2021-11-30

また「掲載年月日」は前方一致で検索されるので、「2021-11」
と入力しても2021年11月中の記事を検索できます。

②練習問題

1.「同性婚」に関する記事を調べなさい。

2. 2021年の長浜曳山まつりで奉納された曳山の数を調べなさい。

3. 広島県における無料PCR検査の開始日はいつか調べなさい。

4. 障害者と近畿大学の学生の共演舞台「贅沢な時間」が開催された施設の名称を調べなさい。

5.「ユニバーサル・スタジオ・ジャパン」または「東京ディズニーランド」または「東京ディズニーシー」に関する記事を調べなさい。

6.「文部科学省（文科省も含む）」と「教員免許」に関する記事を調べなさい。

7. 小・中・高等学校の先生による体罰に関する記事を調べなさい。

8. 新型コロナウィルス（新型コロナも含む）の給付金以外の給付金に関する記事を調べなさい。

9. 京都に関する記事を調べ、該当する記事の件数を答えなさい。

10. 2021年6月10日の新型コロナウイルスの感染者数（全国）を調べなさい。

11. 2001年6月に、朝刊に掲載された訃報を調べなさい。

12. 2021年7月10日〜19日の間に掲載されたコラム「余録」を調べなさい。

13. 菅内閣の2021年1月〜6月の支持率の推移を調べなさい。

14. 森喜朗会長の女性蔑視発言がオリンピックに及ぼした影響を調べなさい。

15. 2021年2月に掲載された「ソーシャルメディア」に関する記事の数と「SNS」に関する記事の数をそれぞれ調べなさい。また、「ソーシャルメディア」と記述された記事と「SNS」と記述された記事の間にどのような差があるかを調べなさい。

2.2.5 総合演習問題

人物略歴情報

1. アニメ「鬼滅の刃」に出演した東京都出身の声優を調べなさい。どのキャラクター役を担当したのかも確認しなさい。

2. 気象予報士の資格を持っている、生年月日が1970年以前のキャスターやアナウンサーのうち、最終学歴が大卒でない人を調べなさい。

3. 楽団等の音楽監督の経歴がある芸術大学や音楽大学の教員を調べなさい。ただしウィーンに留学経験が無く、誕生月が9月～12月の人物に限定しなさい。

雑誌記事情報

4. 雑誌名が「日本語」または「国語」を含む雑誌に掲載され、論題名に「敬語」に関連する言葉が含まれた雑誌記事を広く調べたい。ただし、大学が出版社である記事や雑誌名が『日本語学』の記事は調査済で必要ない。2020年7月以降に刊行された雑誌記事に限定して調べなさい。
   ＊敬語の類義語等も考えてください。

5. 2019年に刊行された老人のアクセントに関する雑誌記事を調べなさい。
   ＊老人の類義語等も考えてください。

6. 内田夫美または大石真由香または池原陽斉が論じた万葉集についての雑誌記事を調べなさい。ただし、刊行年月が2018年9月～2021年11月に限定をしたい。
   ＊万葉集の異表記やモレがでない工夫も考えてください。

7. 日本近代文学に掲載された芥川龍之介について書かれた図書の書評を調べなさい。ただし、小谷瑛輔が著者の『小説とは何か？：芥川龍之介を読む』の書評は調査済みであるので除外して探したい。

図書内容情報

8. 小学館・宝島社・朝日新聞出版のいずれかから刊行されている新書で「卑弥呼」について書かれた図書を探しなさい。

9. 豊臣秀吉が行った検地に関する探しなさい。
   ＊同義語も含めて考えてください。

10. 加来耕三または磯田道史または梅田正己が書いた坂本龍馬に関する図書を調べなさい。
    ＊表記のゆれのモレを無くす工夫を考えてください。

11. 安土桃山時代のキリスト教についての図書を探している。ただし、定価が1,000円以上5,000円以下のものに限定したい。
    ＊キリスト教の類義語も含め考えてください。

新聞記事原報

12. 2021年に開催された東京パラリンピックで日本勢が獲得した金メダルの個数は何個か調べなさい。

13. 2021年5月から9月の間に亡くなった児童文学者や絵本作家を調べなさい。その児童文学者や絵本作家の氏名と代表作も確認しなさい。

14. 2021年にノーベル賞を受賞した日本出身の研究者の氏名・授賞理由・所属機関・国籍を調べなさい。

15. 大学の先生によるパワハラやセクハラに関する記事を朝刊に限定して調べなさい。

索　引

図表一覧

執筆者紹介

〔編著〕

野口 武悟（のぐち・たけのり）　　専修大学 文学部 教授

千 錫烈（せん・すずれつ）　　　　関東学院大学 社会学部 教授

〔著〕

齋藤 泰則（さいとう・やすのり）　明治大学 文学部 教授

松山 巌（まつやま・いわお）　　　玉川大学 教育学部 准教授

長谷川 幸代（はせがわ・ゆきよ）　跡見学園女子大学 文学部 専任講師

新藤 透（しんどう・とおる）　　　國學院大學 文学部 教授

水沼 友宏（みずぬま・ゆひろ）　　桃山学院大学 経営学部 専任講師

Webで学ぶ 情報検索の演習と解説
〈情報サービス演習〉

2023 年 3 月 25 日　第 1 刷発行

編　著　者／野口武悟・千錫烈
著　　　者／齋藤泰則・松山巖・長谷川幸代・新藤透・水沼友宏
発　行　者／山下浩
発　　　行／日外アソシエーツ株式会社
　　　　　〒140-0013 東京都品川区南大井6-16-16 鈴中ビル大森アネックス
　　　　　電話 (03)3763-5241（代表）　FAX(03)3764-0845
　　　　　URL　https://www.nichigai.co.jp/

組版処理／日外アソシエーツ株式会社
印刷・製本／株式会社平河工業社

ISBN978-4-8169-2957-1　　　　　**Printed in Japan,2023**

プロ司書の検索術
―「本当に欲しかった情報」の見つけ方

入矢玲子著
四六判・250頁　定価2,530円（本体2,300円＋税10%）　　2020.10刊

学術情報へアクセスするための極意を、情報検索のプロである大学図書館司書が伝授。検索時代における図書館の機能と図書館員の役割がわかる。

スキルアップ！ 情報検索
―基本と実践　新訂第2版

中島玲子・安形輝・宮田洋輔 著
A5・200頁　定価2,695円（本体2,450円＋税10%）　　2021.1刊

情報検索スキルの基本から実践まで、わかりやすく、コンパクトにまとめられたテキスト。欲しい情報が短時間で手に入る検索スキルが身につく。実践的な検索のヒントや裏ワザ、豆知識も豊富にわかりやすく解説。

図書館活用術 新訂第4版
―検索の基本は図書館に

藤田節子著
A5・230頁　定価2,970円（本体2,700円＋税10%）　　2020.2刊

ネット利用に偏りがちな昨今の検索方法に対し、図書館で入手できる情報源の有用性、信頼性を解説。理解を助けるための豊富な図・表・写真を掲載し、図書館の活用法、利用法について徹底ガイド。索引を完備、参考資料・用語解説を付し、より深く読者の理解をサポート。

図書館ウォーカー ―旅のついでに図書館へ

オラシオ 著
A5・230頁　定価2,530円（本体2,300円＋税10%）　　2023.1刊

全国66の図書館をめぐる旅エッセイ集。元・図書館員の著者が「図書館をもっと身近なものに」をコンセプトに綴る、新たな図書館の楽しみ方。「陸奥新報」連載中の人気エッセイ「図書館ウォーカー」を元に、新たにカラー写真、交通・近くのおすすめスポットなどのデータ、コラムを加え単行本化。

データベースカンパニー
日外アソシエーツ

〒140-0013　東京都品川区南大井6-16-16
TEL.(03)3763-5241　FAX.(03)3764-0845　https://www.nichigai.co.jp/

1542143DPG

「検索演習システム」サイト https://jk-enshu.nichigai.co.jp/user/sign_up
へアクセスし、上記のシリアルコードを入力してアカウント登録をしてください。

※登録にはメールアドレスが必要です。登録されたメールアドレスは変更で
きません。また、一度登録されたシリアルコードは再度使用することはで
きませんので、メールアドレスの取り扱いには十分ご注意ください。